LAST REMAINS

수수께끼의 빌런 킨드레드 덕분에 어느 때보다 더 위험해진 신 이터가 부활했다! 신 이터는 악행과 초능력을 '정화'하며 범죄자들을 갱생시켰고, 레이븐크로프트 정신 병원의 관리자가 된 노먼 오스본을 다음 표적으로 정했다. 경찰 살해자인 신 이터를 멀을 수 없던 스파이더맨은 숙적인 노먼을 구조하러 레이븐크로프트로 향했다. 또다시 그린 고블린 슈트를 입게 된 노먼은 스파이더맨과 한 팀이 되어 신 이터에 맞섰지만… 신 이터를 막아 내자 노먼은 곧바로 본심을 드러내며 스파이더맨을 죽이려 했다. 다행히 그런 피터를 구하러 피터의 친구들, 자칭 '거미줄 기사단'이 나타났다. 분노에 찬 스파이더맨은 노먼을 무너진 레이븐크로프트에 버려 둔 채, 기사단과 함께 자리를 떴다!

SPIDER-MAN CREATED BY STAN LEE & STEVE DITKO

COLLECTION EDITOR JENNIFER GRÜNWALD
EDITOR, SPECIAL PROJECTS SARAH SINGER ✱ VP LICENSED PUBLISHING SVEN LARSEN
VP PRODUCTION & SPECIAL PROJECTS JEFF YOUNGQUIST ✱ MANAGER, LICENSED PUBLISHING JEREMY WEST
BOOK DESIGNERS ADAM DEL RE WITH JAY BOWEN
SVP PRINT, SALES & MARKETING DAVID GABRIEL ✱ EDITOR IN CHIEF C.B. CEBULSKI

어메이징 스파이더맨: 신즈 라이징 Vol. 2 – 라스트 리메인즈

초판 1쇄 인쇄일 2023년 3월 15일 | **초판 1쇄 발행일** 2023년 3월 25일 | **지은이** 닉 스펜서 | **그린이** 패트릭 글리슨 · 마크 배글리 · 마르셀로 페레이라 | **옮긴이** 이용석
발행인 윤호권 | **사업총괄** 정유한 | **편집** 조영우 | **마케팅** 정재영 | **발행처** (주)시공사 | **주소** 서울 성동구 상원1길 22, 7층(우편번호 04779) | **대표전화** 02-3486-6877
팩스(주문) 02-585-1247 | **홈페이지** www.sigongsa.com 이 책의 출판권은 (주)시공사에 있습니다. 이 작품은 픽션입니다. 실제의 인물, 사건, 장소 등과는 전혀 관계가 없습니다. ISBN 979-11-6925-677-3 07840 ISBN 978-89-527-7352-4(세트)
시공사는 시공간을 넘는 무한한 콘텐츠 세상을 만듭니다. 시공사는 더 나은 내일을 함께 만들 여러분의 소중한 의견을 기다립니다. 잘못 만들어진 책은 구입하신 곳에서 바꾸어 드립니다.

LAST REMAINS

WRITER NICK SPENCER

AMAZING SPIDER-MAN #50-52 & #55

ARTIST PATRICK GLEASON
COLOR ARTIST EDGAR DELGADO

AMAZING SPIDER-MAN #53-54

PENCILER MARK BAGLEY
INKERS JOHN DELL WITH ANDREW HENNESSY (#54)
COLOR ARTIST EDGAR DELGADO

AMAZING SPIDER-MAN #56-57 & #60

PENCILER MARK BAGLEY
INKERS ANDREW HENNESSY & JOHN DELL WITH ANDY OWENS (#57)
COLOR ARTIST RACHELLE ROSENBERG (#56-57 & #60) & EDGAR DELGADO (#56-57)

AMAZING SPIDER-MAN #58-59

PENCILER MARCELO FERREIRA
INKERS WAYNE FAUCHER
COLOR ARTIST MORRY HOLLOWELL WITH ANDREW CROSSLEY (#59)

LETTERER VC's JOE CARAMAGNA

COVER ART PATRICK GLEASON WITH MORRY HOLLOWELL (#50, 57),
EDGAR DELGADO (#51-54),
MARK BAGELY & JOHN DELL WITH EDGAR DELGADO (#56, #58),
MORRY HOLLOWELL (#57) &
NATHAN FAIRBAIRN (#59-60)

ASSISTANT EDITORS TOM GRONEMAN & LINDSEY COHICK
EDITOR NICK LOWE

50

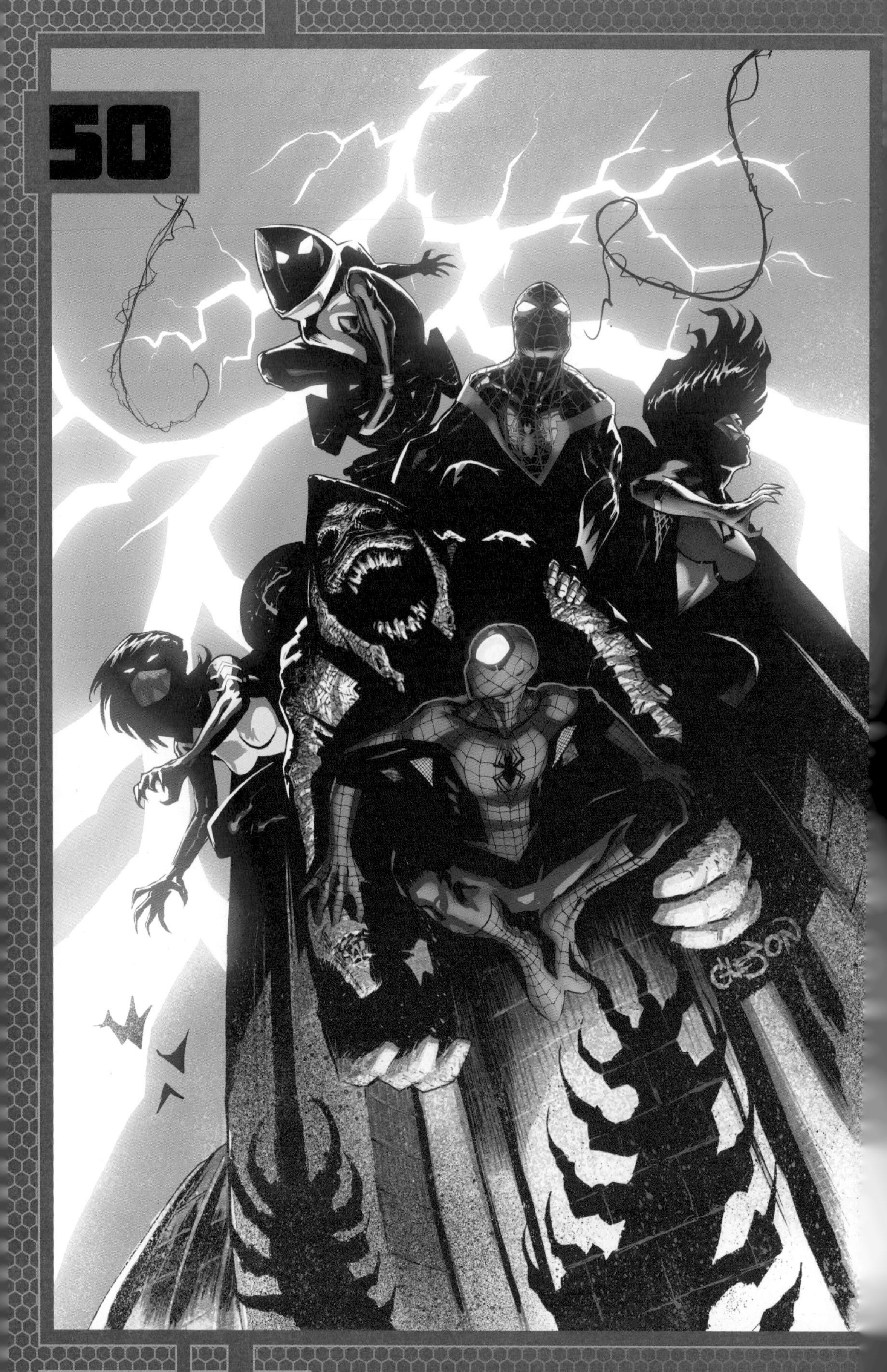

라스트 리메인즈 1부

때가 왔다.

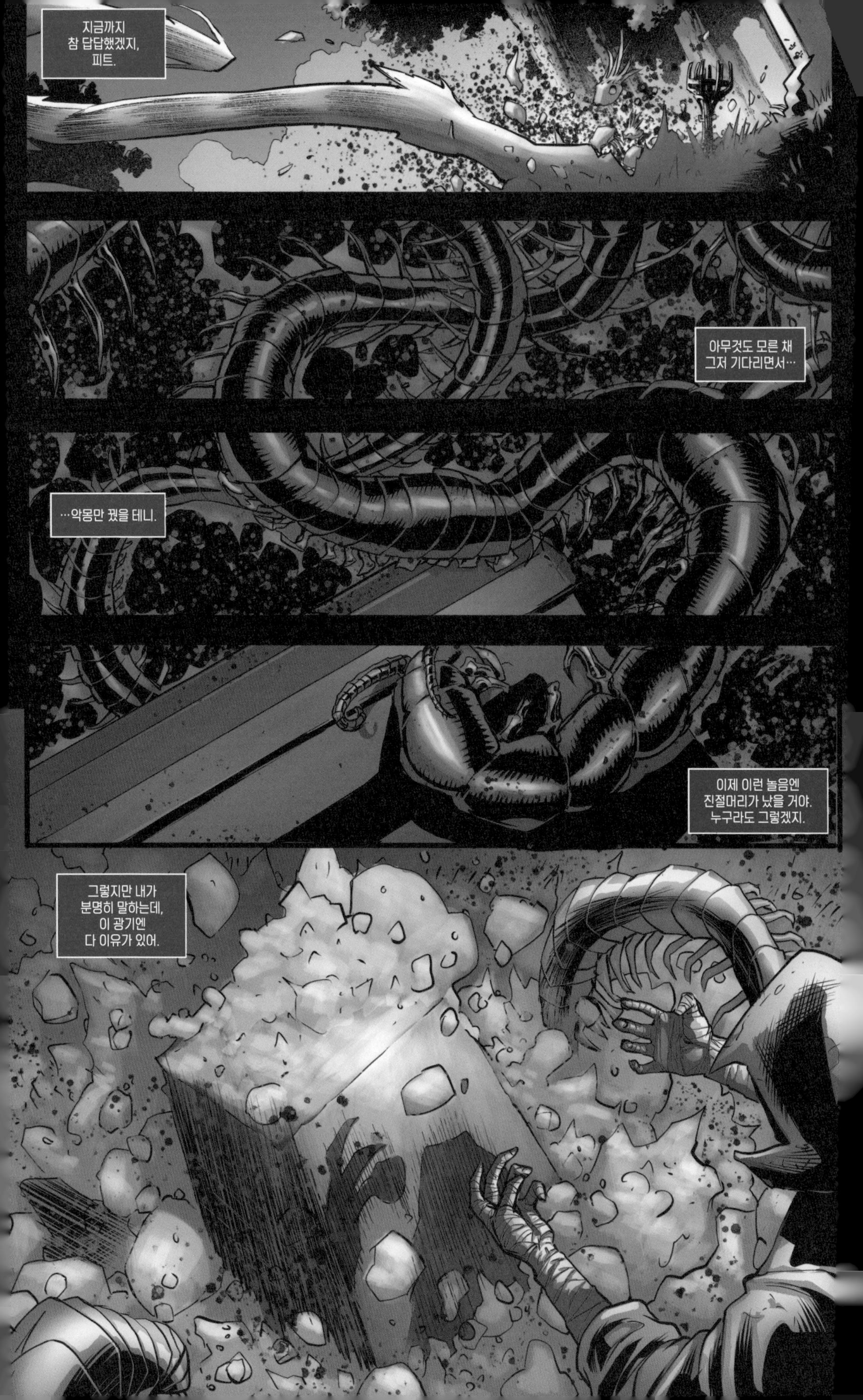
지금까지
참 답답했겠지,
피트.
아무것도 모른 채
그저 기다리면서…
…악몽만 꿨을 테니.
이제 이런 놀음엔
진절머리가 났을 거야.
누구라도 그렇겠지.
그렇지만 내가
분명히 말하는데,
이 광기엔
다 이유가 있어.

있잖아,
그 전에 너한테 먼저
보여 줄 게 하나 있다.
KRAKOOM
다음 일어날 일의
힌트를 말이야.
근데 이제 네가
결말에 거의 다 왔다는 게
뼛속까지 느껴지거든?
진심으로 말하는데,
흥분돼서 미치겠어.
누구를 거치지도,
꿈속에서 스쳐 지나갈
필요도 없이…
…조만간
너와 마주칠 순간이
찾아올 거야.
곧 너와 내가…

…직접 만난다.
조지
스테이시
여기 잠들다

그래…

…첫 등장부터
좋은 꼴은 아니야.
딱 봐도 상태가
메롱이란 말이지.
그러면 도대체 무슨 일이 있었길래
여러분의 다정한 이웃 스파이더맨이
이렇게 정신 못 차리고 다니는 걸까?
솔직히 나도 뭔 일인지
다 안다고는 못 하겠다. 그렇지만
분명한 점이 하나 있지.

전부
내 탓이란 거.
끄윽… 파커…
하필 성깔을 부려도 제일
뭐 같은 타이밍에—
지금까지
싸워 온 건
정말 자랑스러워
하도록 해.
지금처럼 도망친 건
창피해하고.
뭐, 나한테
달라질 거야
없지.
아무
상관 없어.

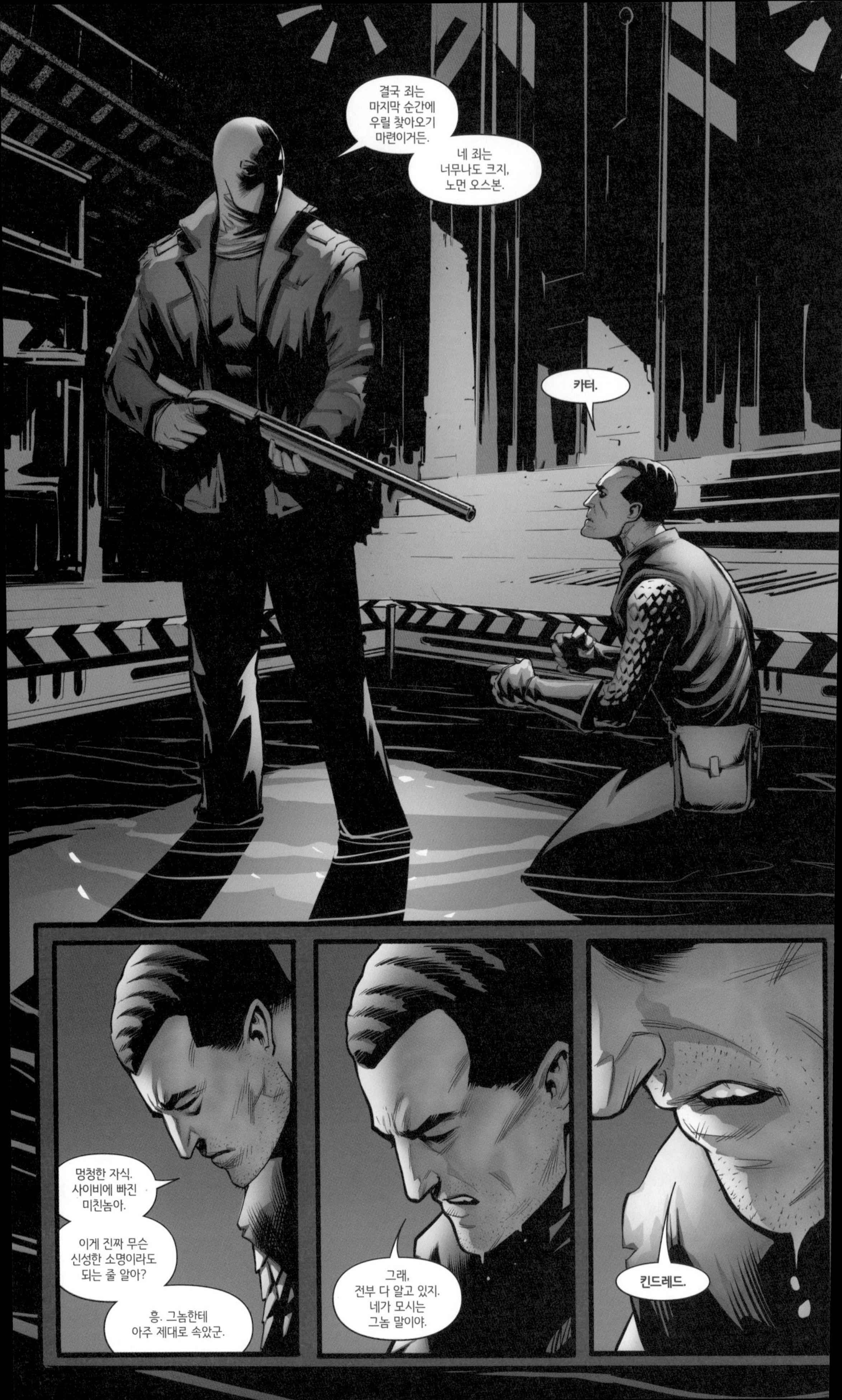
결국 죄는
마지막 순간에
우릴 찾아오기
마련이거든.
네 죄는
너무나도 크지,
노먼 오스본.
카터.
멍청한 자식.
사이비에 빠진
미친놈아.
이게 진짜 무슨
신성한 소명이라도
되는 줄 알아?
흥. 그놈한테
아주 제대로 속았군.
그래,
전부 다 알고 있지.
네가 모시는
그놈 말이야.
킨드레드.

네 생각하곤 다른 놈이야.
지옥에서 태어난 전지전능한 존재처럼 구는데, 전혀 아니거든.
예나 지금이나 히죽거리기만 하는 허접쓰레기일 뿐이지.
자기가 직접 나설 배짱도 없는 자식이라고!!!
스탠, 내 말 잘 새겨들어. 아직 안 늦었어. 내가 도와줄게. 우리가 힘을 합치면 그놈을 박살 낼 수 있어!
세상의 죄악을 정화하고 싶나? 나도 마찬가지야! 그러려고 인생을 바쳤어!
우리 둘이 손을 잡으면 어떨지 생각해 봐.
이 바보 같은 놈! 도대체 왜 이러는 거야?!
내가 누군지 몰라? 나 노먼 오스본이야! 이 나라를 이끌었었고, 세상을 구원한 사람이라고!
이런 나한테 감히 어떤 새끼가 대들어?!
당장 대답해, 개자식아!!!

…
미, 미안하다, 스탠. 가끔 머릿속에서 여러 목소리가 언성을 높이며 화를 내곤 해. 정말 고생하고 있어. 거기다 난…
다른 사람도 아니고 너라면 분명 이해할 거야.
스탠, 날 봐. 난 환자야. 정말 오랫동안 앓아서 도움이 절실해.
네가… 네가 날 도울 수 있어.
이거 봐, 난 심판이 아니라 자비를 받아야 해.
네가 지금 스스로 하는 짓을 심판이라 생각하지 않겠지만, 그래도— 난 머릿속 악마들을 퇴마하고 싶지 않아…. 이놈들을 패 버리고 싶어. 극복하고 싶다고.
날 도와주겠나, 스탠?
부탁할게.
부탁이야!!!
날 도와줘!!!
도와줘… 도와줘…
…흐흑.
흐. 흐. 흐흐흐흐….

하하하
하하
헤.
어쩔 수 없군.
네가 이겼다. 네 말이 옳다면 옳은 거겠지, '신 이터'.
어디 이놈을 죽여 봐….
이제 나한테 이놈은 쓸모없으니까.

다 끝났다.

어떻게든 원래대로
고쳐 놔야 해.
근데 어떻게 해야 할지
전혀 모르겠어.
내가 아는 거라곤
악몽 속에 나온 이름
단 하나…
…킨드레드뿐.
그래서 결국은
설명할 수 없는 일을
명해 줄 수 있는 사람이 있는
이곳까지 오게 됐다.
분명 날 보고 싶어서
신이 잔뜩 났을 거야.
KNOCK
KNOCK

안녕하세요, 닥터.
잘 지내셨…
…쇼오오오오오옹—

제 말 들으셨습니까?
전부 다 끝났습니다.
제게 말씀하신 일,
제가 부름 받았던 일을
모두 해냈습니다.
이제 제게 답해
주시겠습니까?
청하옵니다….
…답해 주십시오.
이런, 이런….
불쌍하고 어리석은 스탠리…
홀로 남아 뭘 어찌해야 할지
전혀 모르고 있군.
또 버림받다니.
이 목소린…
여기 계시군요.
어디에—
그렇다고 내가 공감이
안 되는 건 아니야. 나도
가족 문제가 있거든. 그냥…
전 이자를
구했을 뿐인데….
…일이란 게 항상
더 나빠질 수 있기 마련
아니겠어?
저기 저 불쌍한
노먼을 한번 봐. 네가
무슨 짓을 했는지 말이야.

이자를
정화했다고요.
당연히
그랬겠지.
그래…
소리가 들리지?
이제 그놈의 죄는
네 죄가 됐어. 혈관을
타고 흐르는 죄악이 느껴져?
몸속을 박박 긁어 대며
밖으로 나오려
용을 쓰잖아.
안 돼… 무슨 짓을
하시려는 겁니까?
무슨 짓을
할 거라고
생각했어?
잠깐—
작은 구름 위
천국을 누비면서
상이라도 받을 줄
알았어?
아니면 살면서
처음으로 포옹이라도
받을 줄 알았을까?
아, 안 돼….
안됐네,
스탠…

…난 지금
널 쳐다보는 것조차
불쾌하거든.
어, 어째서?
왜 이러시는
거죠?
왜냐니, 더는 위선을 참을 수
없어서 그렇지. 넌 누구보다 많은 죄를
저질렀으면서 다른 수많은 이를
심판하려 했잖아. 도대체 누가 그런
권리를 줬어?
내가 줬지, 참.
아무튼 그래도
요지는 같아.
잠깐만요,
제 죄는 정화의 불이
다 태웠는데… 그래서
지옥에서 그 고통을
당한 건데….
긴 시간이라…. 나도
겪어 봐서 몇백 년처럼
느껴지는 건 알지. 하지만
전부 없어지진 않았어.
내가 아무리
벌을 내려도 네 녀석이
절대 뉘우치지 않던 일이
딱 한 가지 있잖아….

봐, 네가
말한 대로야.
죄는 업보가
되어 돌아오기
마련이지.
죽어도
싼 놈들이었어요.
제 파트너를
죽였으니까….
말도
안 되는 소리.
이놈들은 자기들끼리
약이나 빨던 삼류
약쟁이라고.
네 파트너는
이놈들을 눈감아 주면서
뒷돈을 챙기고 있었지.
아니… 제 친구…
제 파트너는 좋은
녀석이었는데…
그래,
너도 그 당시엔
잘 받아들이지
못했어.
스탠, 잘 봐.
네 파트너를 죽인 건
이놈들이 아니라…
바로
너야.

이제 네가
저지른 일의 대가를
치를 때가 왔다.
으아아아악!
도, 도와—
도와주세요,
제발….
나도 정말
도와주고 싶어,
스탠. 근데 이 대가는
누구라도 결국
치러야 하거든.
하지만,
끄으윽… 저, 전
시키신 일을
다 했는데….
그랬지.
살인귀, 괴물들이
저지른 죄를
다 받아들였어.
죄의 대가가
뭐였는지 잘 기억하고
있겠지?

스탠, 그래도
위안이 될 만한 걸
알려 줄게. 이제
넌 자유다.

푹 쉬어라,
말 잘 듣는 충견 같은
부하야.

이 죄들은…

"지금부터
다른 사람이
짊어질 거야."
어… 방금
도대체 뭔 일이
있던 건가요?
나도 같은 말
하려고 했어.
내가 대신
말해 줄게….
…우린 방금
구조된 거야.
아무도 바라지도,
해 달라고 하지도
않은 데다 틀림없이
나중에 된통 당하게
되겠지만…
뭐, 이제야
좀 안전하다는
기분이 드는걸.

음, 여러분?
방해해서 미안하지만,
저기…
…밖에 뭐가
있는데요.
뭔가 접근하고
있어. 다들 꽉 잡아,
온다—
SH-KOOOM!

으윽!! 망할….
뭔진 몰라도 기체에 들어왔어.
빠져나갈 틈도 없군….
바짝 붙어.
소용없을 거야.
미안, 피터. 난 최선을 다했어.
하지만 아무도 막을 수 없어.
아무리 너라고 해도.
뭘 막아? 이게 뭔지도 모르는데!
아이고….

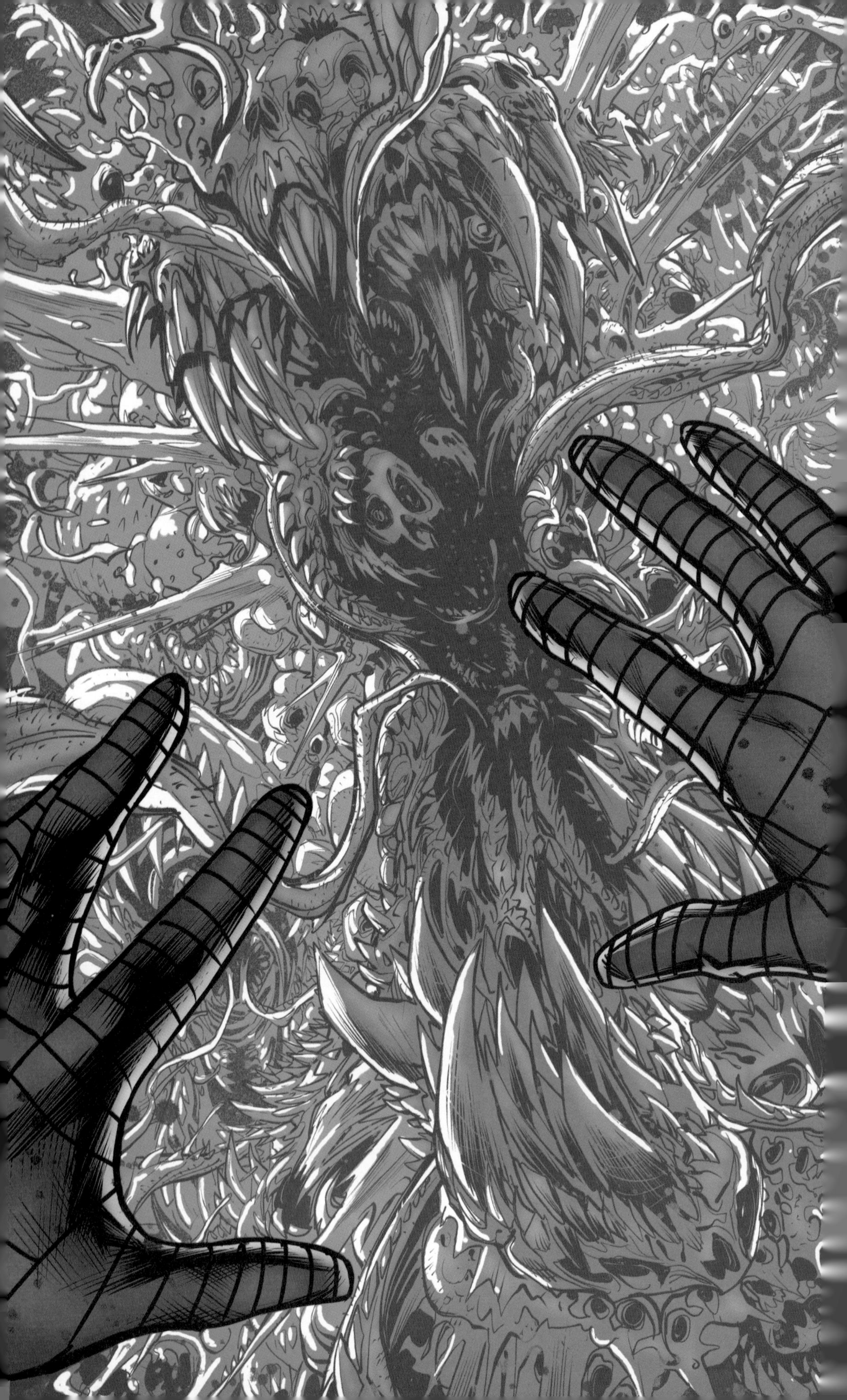

으아아아아아악!
진정해라.
물약이 상처를 치료하긴 하지만 시간이 어느 정도 필요하니까.
고, 고마워요, 닥터.
…근데 제일 문제는 시간이 없단 거예요.
평소에 안 늦기로 유명한 분이긴 하지.
당장 가 봐야 해요.
난 당장 너 수술 좀 해야겠다, 피터.
도대체 무슨 일을 겪은 거야?
제, 제가 **다 망쳤어요.**
진짜 싹 망쳐 버려서 당신 도움이 필요하다고요.
그리고 전부 털어놨다.

전부는 아니고
거의 다.
그래도
충분히 안 좋은
소식이었어.
무슨 짓을
해?!
어쩔 수 없었어요.
다른 방법도 안 떠올랐고요.
절 또 죽이려고 했다니까요.
그런 상황에서
무슨 선택을 하겠어요?
아시잖아요.
생명을
살리기 위해서든,
아니든 넌 악령과
거래했었어.
근데
그 거래 때문에 나중에
사달이 날 거란 생각을
전혀 안 했다고?
네 친구들은
지금 어디 있지?
아, 그 부분도
별로 안 좋아
하실걸요.
CRASH!

끄으으응….
마일스?
그웬?
안야?
다들
어디로—

이런.
안녕,
피트.
아주
오랜만이야.
그 목소리는—
그럴 리가—
이 정도만 해도
누군지 바로
떠올릴 수 있을걸.

그래,
맞았어.
나야,
피트.
그리고
분명히 말하는데,
이건 준비 운동에
불과해.

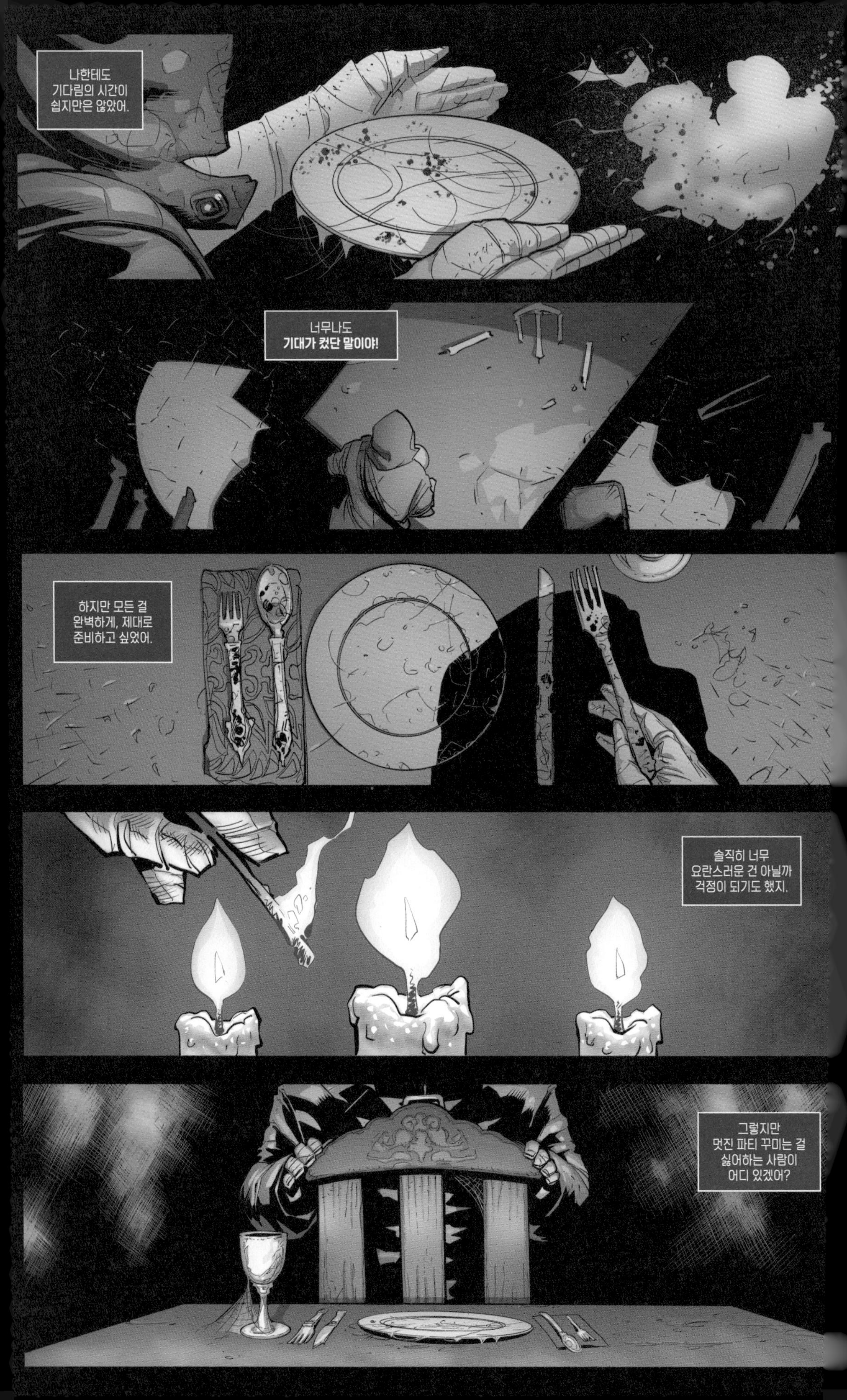
나한테도
기다림의 시간이
쉽지만은 않았어.
너무나도
기대가 컸단 말이야!
하지만 모든 걸
완벽하게, 제대로
준비하고 싶었어.
솔직히 너무
요란스러운 건 아닐까
걱정이 되기도 했지.
그렇지만
멋진 파티 꾸미는 걸
싫어하는 사람이
어디 있겠어?

그래도 이런 분위기며,
테이블 세팅 같은 것보다
더 중요한 게 따로 있잖아?
그렇고말고.
누가 파티에 오는지가
가장 중요하지.
그래서
내가 너를 위해
깜짝 손님을 한 분
모시고 왔어.
정말 마음에
쏙 들 거야,
피터.
세상에서 가장
즐거운 순간은…

…사랑하는 사람들과
함께할 때니까.

으아아아아아악!
저기다!
저기 계신다!

오스본 박사님!
잠깐만 기다리세요! 금방 모시고 나가겠습니다!
도, 도대체 무슨 일이 있던 거지?
건물이 붕괴하기 직전이라 일단 여기서 모시고 나가겠습니다.

"당장 무너져도 이상할 게 없어요."

이런, 내가 무슨 짓을 한 거지?

당신들도 여길 왜…. 안 돼…. 안 돼! 나 같은 놈한테 시간 낭비하지 말고 **인생을 살아요!**
난 도움 받을 자격도 없는 놈이야….
그 점은 의심할 여지가 없네요.

건물 지하에 이런 걸 숨기고 있었으니 말이죠, 노먼.
카, 카프카 박사!
맞는 말이야.
세상에… 내가 무슨 짓을?
잘 들어요, 박사…. 내 말을 믿을 이유가 전혀 없다는 걸 잘 알지만…
…내 마음속에 어떤 변화가 일어났어요. 신 이터가 내게 총구를 겨눴는데, 그러고는—
잠깐—

시, 신 이터는
어디로 갔죠?
당신이
알 줄 알았는데요.
그냥 사라진 것
같은데…
"…부하들도
그대로 남겨 뒀어요."
이런….
그자를
찾아야 해요.
누굴요?
신 이터는
그냥 시작에 불과해요.
모든 게 불타 없어질 때까지
절대 멈추지 않을 더 큰 흑막이
그 뒤에 있다고요.

게다가 이건 **전부 내 탓이에요.**
"이름은 킨드레드…"
…그자를 찾을 수 있게 날 도와줘요.
그건 제가 당신을 경찰한테 넘기고 나서 물어보는 게 좋겠군요—
아니, 그럴 시간이 없어요. 내 말을 전혀 안 믿을 테니까. 설마 믿어 준다고 해도… 상처 입히고 말겠지. 그놈한테 가장 필요한 건…
"…도움의 손길인데."
도움요? 우리한테 그렇게나 위협적인 존재인데 왜 못 도와서 안달하시는 건가요?
왜냐하면 그 녀석은…

"…내 아들이니까요."

#50 VARIANT BY
BELÉN ORTEGA & DAVID CURIEL

#50 TIMELESS VARIANT BY
ALEX ROSS

#50 VARIANT BY
ARTHUR ADAMS & MORRY HOLLOWELL

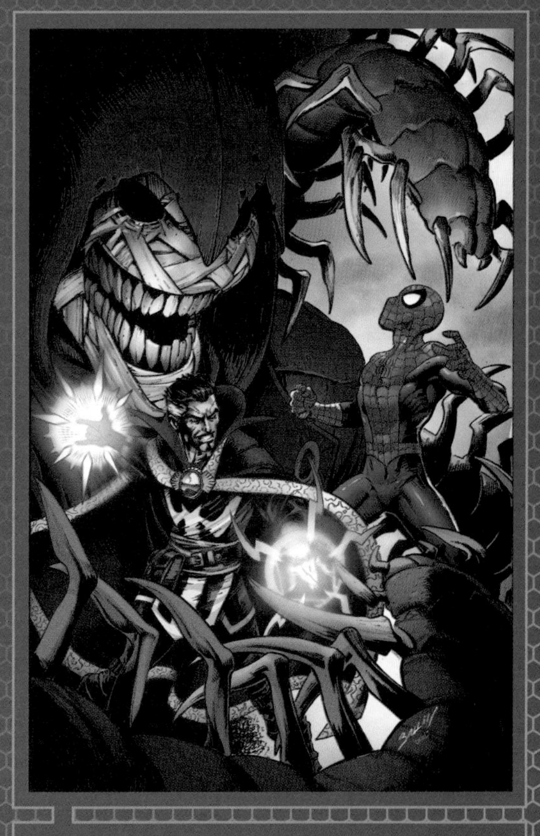

#50 VARIANT BY
MARK BAGLEY & DAVID CURIEL

라스트 리메인즈 2부

일이 점점 더
심각해지고 있어.
닥터 스트레인지의
도움을 받으려고
온 건데···
···아무래도
날 쫓던 악마를
같이 데려왔나 봐.
도대체 이게
슨 지옥 같은 상황인지
설명 좀 해 주겠나?!
탁월한
단어 선택이군,
닥터···

…지옥이랑
깊은 연관점이
있거든.
FWAK
…주먹이
두 배는 더
매서워졌다.
KRAK
이대로
가면…
FWA
…내가 밀릴
수밖에 없어.
그만!

안 그래,
피트?
좋아,
방금 건 아팠어.
평소 같으면 나랑
실크는 막상막하로
싸울 수 있겠지.
근데 이렇게
빙의당하니…
THRUD
THWAK
악마여,
어느 심연에서
기어 나온 건진 몰라도
여긴 생텀 생토럼,
나의 영역이다.
자,
스파이더맨…
…네가
도대체 얼마나
큰 판을 벌인 건지
한번 보자고.

신디 문…
…지금
내 말이 들리나?
빙의됐다는 거
알면서 왜 이러시나?
신디 문이 말을 할 수 있다
해도 비명만 지를 뿐일 텐데,
그러지 않아도 이미
골치 아픈 일을
안고 있지 않나?
당장 그 아이를
풀어 줘, 신 이터—
복잡하게 가지 말고
나랑 직접 얘기하지.
신 이터? 피트,
너 말 안 했냐?
말
안 하다니?
난 신 이터가 아니야, 닥터.
아주 모욕적이군. 그놈은 바람잡이,
워밍업일 뿐이라고.
지금 이게 바로
본 무대란 말이야.
신 이터가 아니라면
정체가 뭐냐?
흐흐흐…
이봐, 피트. 말해 봐.
내 이름이 뭐지?
킨드레드.
이놈 이름은
킨드레드예요.

어떤 놈인지 아는 거야?!
아, 피트… 의사 선생님한테 중요한 얘기를 숨기면 어떡하나? 아주 맛이 간 환자가 따로 없군.
왜 제대로 말 안 했어?!
이놈일 줄 몰랐—
아니, 넌 알았어. 그냥 마주하고 싶지 않았던 거지.
지금까지 피트는 진실을 피해 쭉 도망쳐 왔고, 어떻게 멈춰야 할지도 몰랐어.
죄라는 게 사람을 그렇게 만드는 법이지. 수치스러워하다 두려워지고, 숨게 되는 거야.
근데 이제 나한테서 더는 도망칠 수 없을걸?
너네 마담 웹이 내 손에 떨어졌거든. 네가 딛는 한 발짝, 내쉬는 한숨을 전부 지켜볼 수 있게 됐어.
이제 끝낼 방법은 단 하나뿐이야. 멈출 수 있는 다른 방법은 없어.
자백해.
피터, 물러나 있어….
자백하라고.
물러나—

FWOOOM!
자백하라고!

이제 그만해,
부탁이야. 나한테
뭘 말하라는 건진 모르겠지만,
시키는 대로 다 말할 테니까….
그러니까…
…친구들한테
손대지 말아 줘.
하아
피트, 네 말이
맞는 것 같다. 굳이 전화로
투덕거릴 필요 없지.
네가 초대장도
이미 받았으니.
분명
날 찾아올 텐데,
나라면
서두를 거야.
네 친구들이
기다리느라 죽을
지경이거든.

더 일찍 말했어야 했는데 그러지 않아서 죄송해요, 닥터. 거의 다 말하긴 했는데….
아까 그 녀석이 말한 부분은… 수치나 죄책감 얘기요. 그건 저도 왜 그런지는 잘 모르겠지만, 정말 인정하기 싫지만…
…완전히 틀린 말은 아닌 것 같아요.
이 킨드레드라는 놈의 정체는 몰라요. 원하는 게 뭔지, 다른 사람들한테 왜 이러는 건지도요.
근데 분명한 건 제가 원인이라는 거예요. 그리고…
…제가 레이븐크로프트에서 한 짓 때문에 드디어 문이 활짝 열려 버렸어요.
악마에, 빙의에… 여기서부턴 제가 맡을 수 있는 영역이 아니에요.
무슨 말 하실지 다 알아요. 그 불길한 표정으로 "이건 네가 이해할 수 없는 아주 강력한 힘이야"라고 하시겠죠.
난 그런 표정 안 지어.
그냥 좀 들어 주세요. 네?
아무튼 뭔가 해야 해요. 제 친구들이 잡혀갔어요. 그중엔 저 때문에 거미 옷을 입은 사람도 끼어 있다고요.
거기다 둘은 아직 어린애들이에요. 제 말은…

…다 제 책임이란 거죠.
킨드레드는 계속 절 쫓아다닐 거예요.
언제가 됐든 제 친구들한테 고개를 돌려서 절 잡는 데에 써먹겠죠. 그럴 거라 말하기도 했으니. 절대 그렇게 둘 수 없어요.
이 코스튬을 입고 활동하는 동안 정신 나간 괴물들이 제가 사랑하는 사람들을 체스 말처럼 써먹었어요. 정말 많은 사람을 떠나보냈죠….
더는 그렇게 두지 않아요. 끝내야 해요.
그놈을 찾든, 제 친구들을 풀어 주든, 뭘 하실 생각이든 상관없으니 저도 끼겠어요. 근데 하나만 알아 두세요.
저도 반드시 따라갑니다. 그놈이랑 싸우는 건 저예요. 거절은 안 받아요.
알았어.

어라,
진짜요?
그래, 한번 해 볼 순 있지. 근데 판세를 우리 쪽으로 돌려야 해.
킨드레드가 마담 웹을 통해 널 염탐한다면 그 점을 우리 쪽에서 써먹을 수 있어.
너희는 생명과 운명의 거미줄로 이어져 있으니까.
그걸 통해 네 친구들이 어디 있는지, 그리고 무엇보다 이 모든 걸 짠 악령 놈을 바로 추적할 수 있지.
그런 걸 하실 수 있어요?
아니.
네가 해야지.
너흰 같은 토템을 공유하니까 아스트랄 플레인을 통해서 거미줄에 닿을 수 있어. 제대로 된 연결 고리만 있으면 되는데 나한테 딱 맞는 물건이 있지….
아마 너도 뭔지 알 거야.
*『어메이징 스파이더맨 Vol. 3: 별이 식을 때까지』를 보셨다면 기억하시겠죠? — 편집자
비샨티의 손이다.
이걸 통해 아스트랄 플레인의 힘을 쓸 수 있었지만 일이 매끄럽 흘러가지만은 않았어
셰이드라는 녀석하고 싸울 때 닥터가 나한테 빌려줬었지.

이번엔…
안 그러겠지?
잠깐만, 뭔가
잘못됐는데….
이게
뭐지…?

어? 무슨 일이에요?
왜 아직도 제가
여기 있어요?
미안. 이건…
안 먹힐 것 같다.
안 먹힐 것 같다니,
무슨 소리예요?!
아까는 알았다고—
내가 한 말은
내가 잘 알아. 근데 그건
알기 전이었잖아.
뭘 알아요?
피터, 혹시
무슨 계획 같은 거
짠 적이라도 있어?
특히 네….
아냐, 불가능한
일이야.
조사를
해야겠어.
뭘 조사해요?
그럴 시간 없어요!
걔들 도울 사람이
우리밖에—
내가 도우러
가는 거지.
갈 거니까
걱정 마. 딴 방법을
찾으려는 거야….
네가 없어도 되는
쪽으로. 그럼 난 이만
가 보도록 하지….
어딜 가요. 제가
허락 못 해요—
허락? 피터,
안 보이나?

지금 나 불길한
표정 짓고 있어.
FWAM
KRUNCH
맞아,
잘 안 풀렸어.
그래도…

…이번 상황은
예상했던 거랑은
전혀 다르게
흘러갈 거야.
비샨티의
손이!
아까도 그랬지만,
난 전부 얘기했어.
거의 다.
어떻게 나보다
먼저 왔대?
성공했어?

아까 탈출선에서 싸울 때,
뭔가를 반드시, 빠르게
해야 한다는 걸 눈치챘지.
이런 일엔
닥터 스트레인지밖에
없다는 것도 알았고.

근데 닥터가
어떻게 반응할지도
알았단 말이야.
그래서
생텀에 가기 전에…

…다른 집에 먼저 가서
문을 두드렸걸랑.

이야…

…고양이가
아주 대단한 걸
끌고 왔네.

성공했어?
어머머…
…생텀 털어 본 게 처음도 아닌데, 당연하지.
고마워, 펠리시아. 정말로.
별말씀을. 근데 궁금한 게 있어. 어떻게 쓰는 건지는 알아?
그건 너한테 달렸어. 아까 내가 주문 녹음해 달라는 것도 했어?
응….
그럼 이제 어떻게 쓰는지 알아봐야겠네.

어라, 잠깐만.
여기 전에도
와 본 적 있는데.
잊지 말고
깨끗한 속옷으로
전에 여기서 닥터랑
대화했던 적이 있어.
여긴 내 꿈속 세상이자
아스트랄 플레인과
이어지는 연결점이야.
'길을 벗어나 헤매는 짓'이
얼마나 위험한지 닥터가
일장 연설을 했었지. 역시나
아주 잘 새겨들은 모양이구만.
근데 여기… 뭔가
좀 바뀌었는데…
…좋게 바뀌진
않았다.
건물 잔해하고
폐허만 있던 곳은
아니었으니까.
호박
폭탄
슈바르츠
캣츠
사람들도 있었는데.
그때 사람들 모습이
모두—
난 다시
돌아온다
안녕,
타이거.

나 보고
싶었어?
MJ?
이게 꿈이란 건
알아.
잘 알지.
MJ….
근데 왜
꿈 같지 않은 거지?
악몽이 다가오는 게
보이는데도…
…막을 방법이
없어.
안 돼…
괜찮아,
피터…
…된다고
대답해.
도대체 왜
막을 수 없는 거야?

MJ!

힘들었을 거야,
피트.

지금까지 있던
모든 일 말이지.

수도 없이
무너져 내렸고…

…밀려오는
후회와 두려움에
그대로 파묻혔어.

근데 난 널 잘 알아.
항상 그랬듯이…

…넌 벌떡 일어나
다시 돌아올 거야.
근데 왜 이런 식으로
돌아가야만 하는 건지
네가 알아줬으면 해.

우린 널
기다려 왔어,
피트….
정말
오랫동안.
처음엔 싸늘하고
캄캄했지만,
이내 밝은 빛과
뜨거운 불길이
치솟았지.
이 순간만을 위해
그 고통을
이겨 낸 거야.
가슴이 찢어질 듯한 슬픔,
고통, 눈물이 가득했지만,
이제 그런 건 과거에 불과해.
마침내 네가
여기까지 왔으니…

파티를
시작하자고.

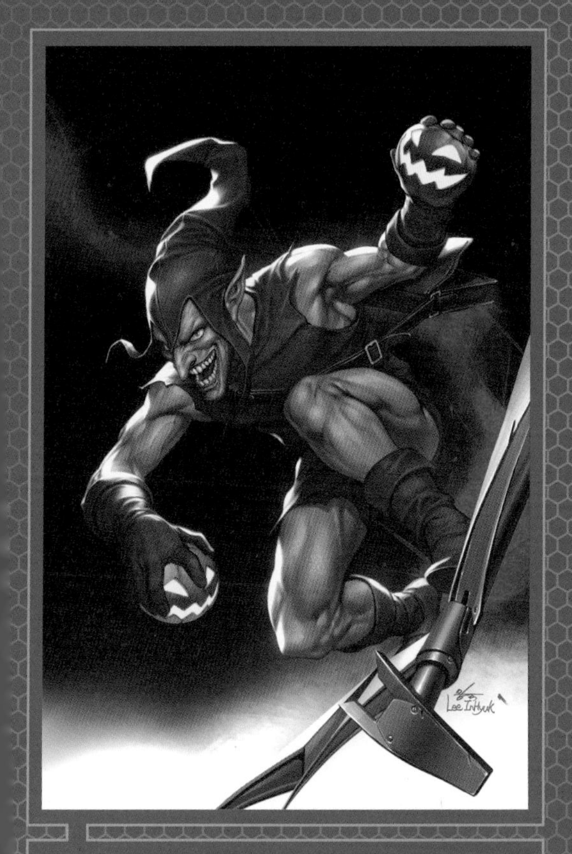

#50 VARIANT BY
INHYUK LEE

#51 VARIANT BY
INHYUK LEE

#52 VARIANT BY
JEFFREY VEREGGE

#52 HEADSHOT VARIANT BY
TODD NAUCK & RACHELLE ROSENBERG

라스트 리메인즈 3부

킨드레드.
지난 몇 달 동안 내 머릿속 한구석을 박박 긁던 이름이다.
어제까지만 해도 악몽 속에서나 볼 수 있던 얼굴이었지.
하지만 꿈이라고 해도 이놈이 남긴 상처는 현실보다 더 진짜 같았어.
이 녀석은 멘델 스트롬을…
…그다음엔 미스테리오를 죽였다.
그러고 나서는 신 이터를 풀어놨고.
머지않아 내 차례가 다가오리란 건 알고 있었어.
내 몸속 뼈 한 조각 한 조각이 지금껏 이런 적은 없었다고 경고를 보냈으니까. 반드시 대비해야 한다고 되뇌었지.
이제 그 순간이 왔다.
마침내 직접 마주하게 됐는데…

…쳐다보지도 못하겠어.
이… 이게… 이게 다 뭐야?
무슨 짓을 한 거지?
하아
피트, 내가 지금껏 기를 쓰며 했던 일을 또 했을 뿐이야.
네가 **진실을** 보게 하는 일.
근데 여태까지 벌인 일이 아무 효과가 없었나 보군. 그러니…
…반성의 시간이라고 생각해.

다 너를 아끼는 마음에 한자리에 모인 거야.
조지 스테이시…
다 널 사랑하니까…
진 드울프…
그리고 그 무엇보다도…
말라 제이머슨…
플래시…
안 돼… 그웬까지…
맙소사…
벤 삼촌.
…우린 한 가족이잖아.
화난 게 눈에 보이는걸. 그럴 줄 알았지.
이런 걸 봤을 때, 남을 탓하면서 몰아붙이는 건 당연한 일이야.
근데 제대로 알아 둬. 이 사람들을 죽인 건 내가 아니라…
너야.

이 괴물 자식아!

이런, 피트….
얼마나
심각한 문제인지
전혀 모르네.
SLITCH
SL-KRAM

FWOP
SLAM
KOOM

너무 빠르고…
KRASH
…강하다.
도대체 누구하고 싸우는 건지도 모르겠어.
너, 너 누구야.
질문이 틀렸어.
피트, 내가 누구였는지는 중요하지 않아.
어떤 존재가 됐는지가 중요하지.
너에게 딸린 유령은 전부 나로 하여금 존재한다.
네가 아는 거라곤…
…난 널 똑바로 마주 보고 앉을 수 있다는 것뿐.
안 돼.
일어나.

맞서 싸워!
THWIP
THWIP
빠르게
움직여!
THWAP
THWAP
기회는
단 한 번뿐이야.

BRUP
KUNK
KRAK
아, 바로 지금이 어메이징한 스파이더맨 이야기에서 스파이더맨이 어떻게든 방법을 찾아 쓰러뜨릴 수 없는 적을 쓰러뜨리는 부분이라는 건가?
그럼 어디 한번 해 봐라, 피트. 온 힘을…

PHOD
KTHUNK
RUNCH
…다해 보라고.

어때? 더 싸워도 아무 쓸모 없어.
이미 끝난 싸움이거든.
상처는 벌써 생겨 버렸고…
…모든 건 바로 너 때문이야.
늘 그랬듯 네가 스스로 고통을 자초한 거라고.
거울 속 너 자신과 싸울 수밖에 없단 말이다.
받아들이기 힘든 사실이란 걸 잘 알아.
그러니 직접 보여 주지.
SHATTER

여기가
어디지?
SHUD

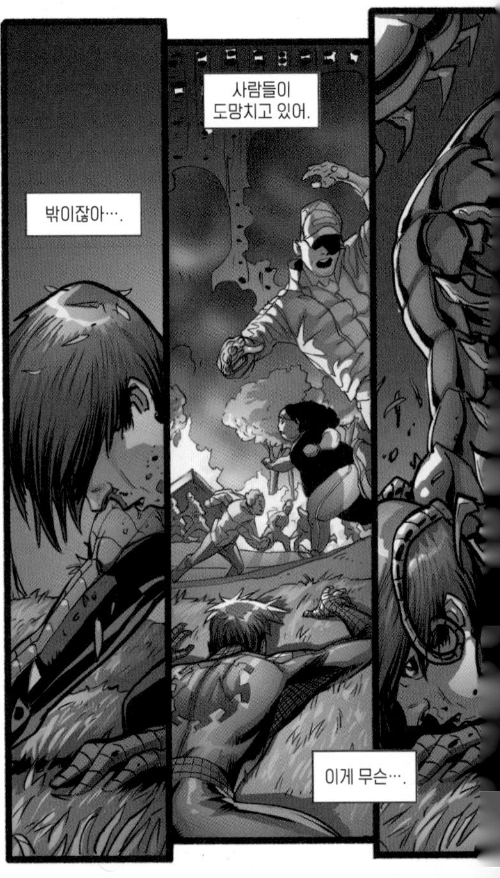
밖이잖아….
사람들이
도망치고 있어.
이게 무슨….

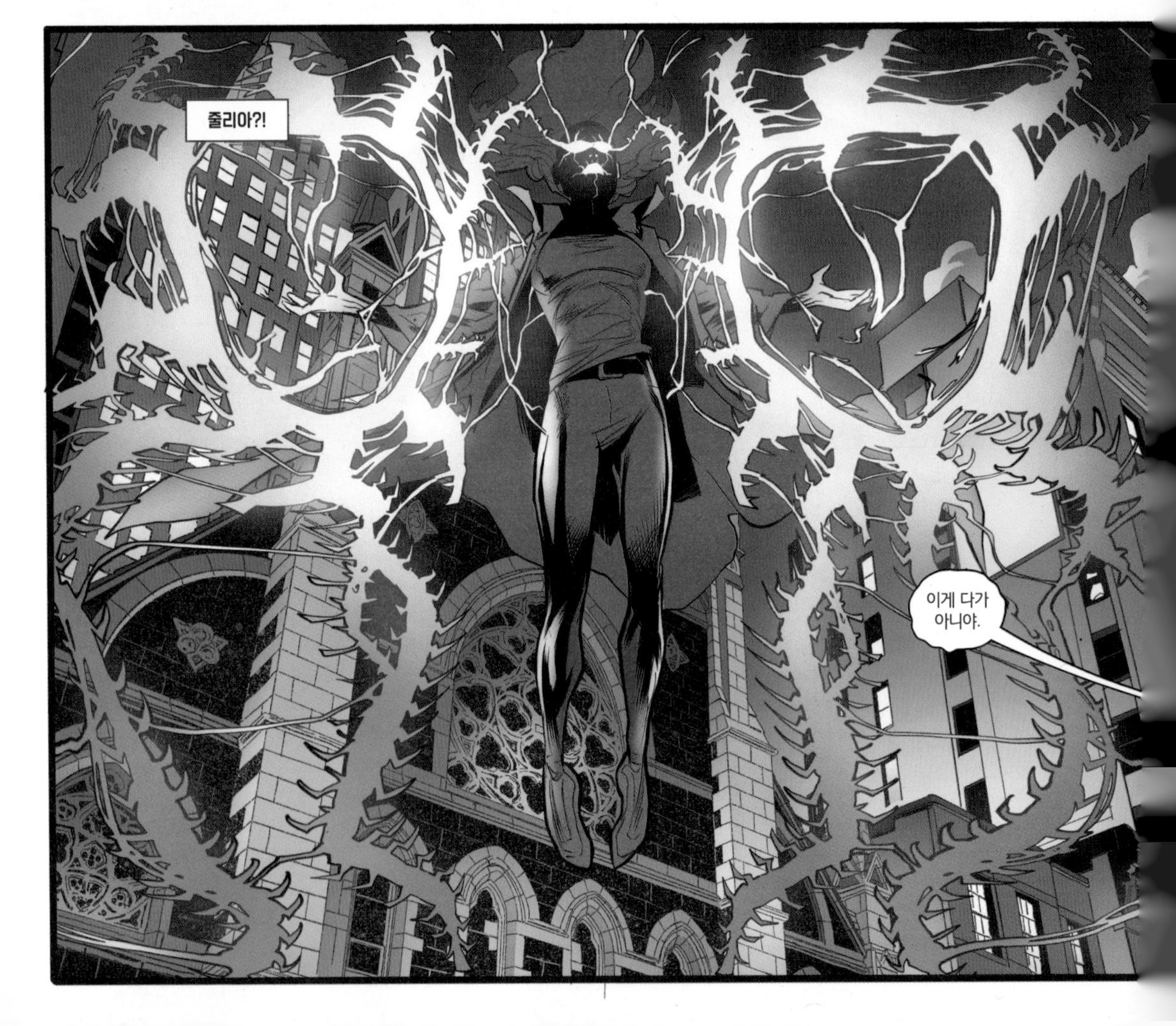
줄리아?!
이게 다가
아니야.

잘 봐,
피트.
네 친구들한테
네가 무슨 짓을 했는지
보라고.
네가
꾹꾹 숨겼던
죄 말이야.
누군가는 대가를
치러야만 했거든.
네 친구들이
도시에서 날뛰면
어떻게 될까?
자기들끼리
어떤 짓을 할 수
있을까?

그만둬.
안 돼애애!

내 말 들어! 어떤 놈인지 몰라도… 일단 내 말부터 들으라고! 내가 너한테 무슨 짓을 했는지 모르겠지만…
…네가 노리는 건 걔들이 아니라 나잖아?

걔들은 이런 짓 당할 만큼 무슨 일을 저지르지도 않았어. 네가 증오하는 건 나야. 누굴 죽여야만 하는 거라면…
날 죽여!
부탁이니까… 더는 못 버티겠어. 그냥… 날 죽여. 날 죽이라고!

그래, 피트?
그럼 그렇게 거래하자고.
VVVVVVVVVVVVVVVVV

VFWOSH
제발.
일어나!
일어나.
THWIP
일어…

…나라고!
감사합니다,
하느님.
다들
무사해요.
다들 다치지
않았어요.
이제… **내 몫을**
받아 볼까.

함께 진실을
마주하러 가는 거야.
SNAP!

라스트 리메인즈 4부

어릴 땐
무슨 일이 생겨도
잘 자곤 했어.

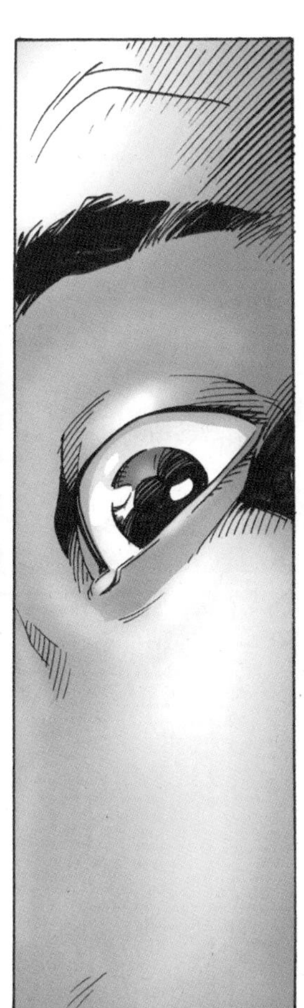

여, 여기가
어디…?

집이잖아.

좋은
아침이구나—
으으으음, 아니,
좋은 오후구나,
타이거!

너무 푹 잠들어 있길래
차마 깨우지를
못했단다.
메이 숙모…
뭐 하시는… 여기
어쩐 일이세요?

그러게, 어쩌다 보니
우리가 같이 살고
있지 뭐니.
오늘만이라도
자리에 앉아서 제대로
아침을 먹겠다고 하면
나도 네 건방짐을
용서해 주마.

…아침밥요?

피터?
너 괜찮니? 뭔가 좀…
불안해 보이는데.
늦어서 그런 거야?
뭐에
말이에요?
아이고,
네가 정말 정신이
없구나.

당연히
파티 얘기지!

속도를
늦춰요…. 너무
빠르잖아요….

TOWERS
기억이 나….

무슨 날인지
기억이 나.
오른쪽
엘리베이터를 타고
펜트하우스를 누르렴.
'서프라이즈!'를 놓치지
않으려면 서두르는 게
좋겠다.

제일 재밌는
부분이잖니.

그 파티야.

플래시….

플래시…
진짜 너야?
워워,
오버하기는. 뭐 하다가
이렇게 늦었어?!

'서프라이즈'를
놓칠 뻔했잖아. 제일
재밌는 부분인데—
잠깐….

MJ!!!
쉬이이이이잇,
얘들아!

쉬이이이잇,
쉬이이이잇,
조용히 해! 주인공들이 왔다고!
DING!
서프라이즈!!!
나를 위해
준비한 거야?

MJ…
MJ… 기다려….
거기 있었구나!
안녕, 친구들! 내 여자 친구 릴리를 소개할게—
이따가!
릴리, 릴리 홀리스터야—
MJ!
난 칼리 쿠퍼야! 릴리의 고등학교 친구이자—
MJ!

여기 좀 봐,
얘들아!

유럽에서 오랜만에
돌아온 건데 친한 친구들과
건배를 안 할 수가 있나.

지옥에서 가장
싫었던 게 뭔지 알아,
친구들?
파티가
꽝이었다는 거야.

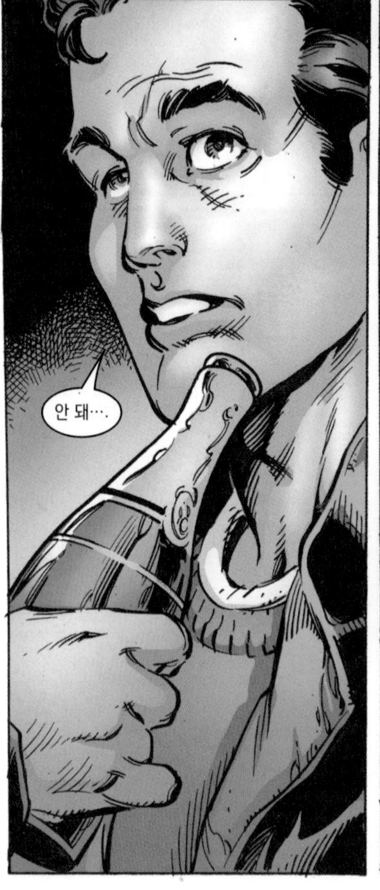
안 돼….

피터 파커,
재미없는 건 여전하군.
맙소사, 돌아온 게
실감나네!

해리,
안 돼….

그다음에
네가 뭐라고
했더라?
제발….
그러지 말고,
떠올려 보라니까….
"사람들이 늘 하는
말 있잖아…."

"악마도"
"제"
"말하면"
"온다고."

히어어어어어어어어어어어어억!

커헉!
이런, 이런….
정신도 못 차리겠지?
숨 쉬는 법을 까먹었던 것처럼 말이야. 나도 정말 많이 겪어 봤는데…
…전혀 익숙해지지 않더군.
그래도 그걸 감안할 만큼은 되는 여행이었지?
아, 아니야….

실망이
큰 것 같네,
피트.
딱 보여.

그래도 우리
솔직해지자고.
속으론
나라는 걸 쭉 알고
있었잖아.
아니야…

인정하고 싶지
않았을 뿐이지.
아냐…

아니야,
그럴 리 없어!!!

하아
그만 받아들여,
친구.
그래야
우리 둘만 남아서
앞으로 나아갈 수
있으니까.
너랑 나랑
해야 할 일이
태산 같거든.

내가
누누이 말했지만,
피트…
중요한 건
누군지가
아니라…
…뭘
원하는지라고.

한 방 먹었지?

54

라스트 리메인즈 5부

아냐…
믿을 수 없어.

믿지
않겠어.
나라고,
피트.
네 절친,
해리 오스본.
해리,
난 널 잘 알아.
우린 전에도
이랬잖아. 기억도
못 할 만큼 수없이 많이
그랬지. 무슨 일이 있었던 건지,
얼마나 오래된 건지
모르겠지만…
…둘이서 함께
해결할 수 있을 거야.
아직 안 늦었어.
아직
아무도 다치지
않았으니까.
나, 난 아무도
다치게 하고 싶지
않아….

WHAM
그래서
내가 널 막아야만
하는 거야.
날 막아?
아까도 말했지, 해리.
우린 전에도 이런 적
많다고….
지는 건
항상 너였어!
헤.
맞는 말이야,
피트.

KRAAK
내가
얼마나 달라졌는지
보여 주지.

SLAM

달라져?
너인 걸 감안해도
아주 어처구니가
없네.
똑같은 해리
오스본과 **그 아빠**
이야기겠지!

이번엔 너한테
정말 심하게 당했어. 무슨
전지전능한 괴물인 줄로만
알았다니까….

CHAK
FWAK
옛날부터 싸워 왔던 슬프고 아픈 어린애가 아닌 줄 알았다고!
매번 똑같은 짓거리 하는 게 지겹지도 않냐? 항상 뭔가 일이 잘못되면 제일 먼저 의심받는 게 안 지겨워?
FF-KRASH
FAK
너 이번엔 정말 실수한 거야, 해리. 내가 아끼는 사람들이랑 **친구들을 건드렸어!**

KRAK
나한테 또
가로막히고 싶지
않았으면…
CHOOM
…차라리
날 죽였어야지!

죽여?
그래서 이런 짓을 하는 줄 아는 건가?
널 죽이려고?
하아 피트, 네가 이해하지 못한 부분이 많아도 너무 많은 것 같다.

이게 또
늘상 있던 사고라고
생각하는 모양이네.
THOK
'불쌍한 해리가
이상한 목소리를
들었어요.'
'아빠의 망령한테
조종당했지요.'
분명히
말하는데, 그런 건
아주 오래전에
끝났어.
SLAM
이제 난
악령에게 쫓기지
않아….
KRAK

내가 악령이
됐거든.
THOK
CRUKK
그러니 이제
너한테도 지옥이
어떤 곳인지
보여 줄게.
그곳엔
빛이 없어.
희망도 없지.
죽음보다
훨씬 더 끔찍하기
짝이 없는
무언가랄까?
자…

…가서
보고 와 봐.
KRAK
THWAK
CHWUC

FWASH
이제 일어나.
자, 잠깐….
안 돼.

또 간다.
SLASH
한 번 더.
SPLOSH
COFFEE
BEA
또
한 번 더.
FWISH

더.
⸗허억⸗
FFRUNCH
한 번 더.

다시!
KRAKT
FWOOSH
한 번 더!

이제
알겠어?
죽는 건
쉬워.
우리한테는
별것 아닌 일이지.
근데
지옥은 달라.
지옥에선 다른
사람의 것이 아닌…
…자신의 죄로
고문당하니까.
전에 네가 말했지.
왜 네게 소중한 사람들을
쫓아다니냐고.
그럴 리가.
난 그 사람들한테
아무 짓도 안 했어.
손을 댄 건
바로 너야.

이제 너 때문에
그 사람들이 무슨 일을
겪게 될지 한번 봐.
당연히 내 탓을 하고
싶겠지, 피트. 근데 마음속에서
들리는 소릴 잘 들으라고.
"내가 한 건 신 이터를
되살린 것뿐이야."
그걸
못 견디고 나댄 건
바로 너였지.
"신 이터가 네가
아는 사람 중 가장
사악한 자를 잡으러
갔을 때조차도."
항상 그랬던 것처럼
네가 제일 잘 안다며
멋대로 행동했어.
"다른 모든 이들보다
네가 제일 잘 안다면서."
"그게 네 일이잖아.
안 그래?"

하지만 그 뒤로 모든 게 악화일로였어. 넌 네가 저지른 게 얼마나 심각한 일인지, 얼마나 큰 죄를 지었는지 알아차렸지. 그리고 수치심을 느낀 넌…
…그 죄를 정면으로 마주하는 대신…
…파묻어 버리려 했어.
이제 내가 너한테 수업을 하나 해 줄게, 피트. 죄의 본성을 알아보자.
죄를 피해 달아나는 건 불가능해. 결국은 들키고, 그렇게 되면…
…훨씬 더 커진 모습으로 널 찾아오지.
그런데도 솔직하게 자백할 준비가 안 됐을 거야. 당연해. 넌 그래서 그 대신에…
…협상을 하려 했어.
악마와 거래를 했다고.

똑같은 실수를 계속 저지르고 있지.
그 거만함과 자만심이…
잠깐, 저건 **몰런이잖아.**
무슨 상황이지?
…모든 걸 더 악화한다는 걸 잘 알겠어?
안 돼…

"…다들 여기에 왔어."
ROSS
DREW
다들 함정 속으로 들어오고 있어! 그냥 보내 준다고, 다 살려 준다고 했잖아!
난 그렇게 했어. 모르겠어? 의도치 않게 저지른 행동의 결과가 우리 죄를 사해 주진 않아.

걔들을 데려온 건 내가 아니라 너야.
네가 살아서 존재하는 것, 인생에 끼어드는 것 자체가 다른 사람들을 도살장으로 이끈다는 말이야.
이제 생각해 봐, 피트. 도대체 무슨 짓을 저질렀길래 이렇게나 고통스러워야 하는 걸까?
도대체 뭘 자백해야 할까?
무, 무슨 말인지 잘 모르겠는데….
흠. 나라면 머리를 더 빨리 굴릴 거야. 네 친구들은 강하니 싸워도 어느 정도 버틸 수 있겠지.
근데 운 좋은 사람만 있는 건 아니잖아. 피티, 죄의 대가는…
신이시여.
…누군가가 반드시 치러야 하거든.
안 돼! 이러면 안 돼, 해리! 제발….
그러니까 자백해, 친구.
안 돼!

안돼애애애애!
자백하라고!

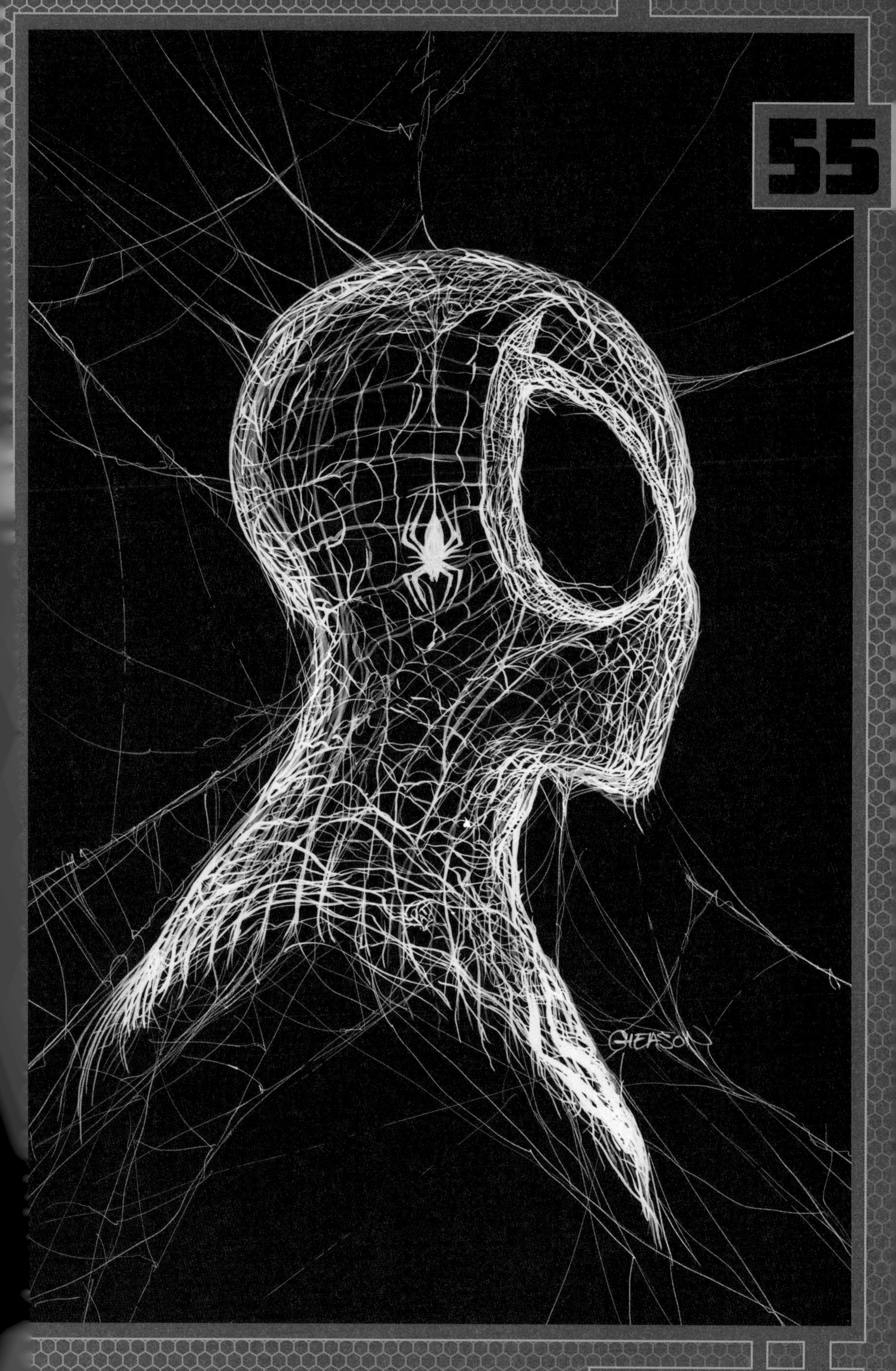

55

라스트 리메인즈 6부

전혀 이해할 수가
없었어, 피트….

너만 한 외톨이는 없었는데 말이야.
누구랑도 함께하려 하지 않고 항상 연결 고리를 없앨 방법만 찾던 놈이었잖아.
근데 어느 날 갑자기 네 주변에 이… 다른 녀석들이 생긴 거야. 네 상징을 쓰면서…
…이름을 공유하는 것들이.
정말 너답지 않다고 생각했는데… 네가 무슨 생각을 하는 건지 다 간파했어.
불쌍한 고아 피터 파커는 가질 수 없어도 스파이더맨은 가질 수 있는 게 뭐였을까?

해리, 제발 멈춰.
이 사람들은
아무 상관 없어.
난 그렇게
생각 안 하는데, 피트.
이 녀석들도 다 관련돼 있어.
더 큰 문제의 증상이라
할 수 있지….
네 이기심 말이야.
어린애도 둘이나
있다니, 세상에나.

바로
가족이지.
너도 알다시피
네 거미줄에 엮이는 사람은
다 죽어. 그런데도 남을 계속
끌어들이고 있고. 넌 절대
변하지 않아, 피트.
이걸 봐.
이미 죽은 이들과
함께 만찬을 즐기려고
널 불렀는데…
…비슷한
자리가 또
생겼잖아.
마침표를
찍긴 해야겠으니,
이제 그만 수저를
들어 볼까?
그, 그냥
빨리 끝내
버려….

미안하지만
뭐라고 했지,
'그웬'?
크윽…
우릴 죽일 거면…
죽이라고.
근데 모든 게 다
피터 때문이었다는 말에는
좀 딴지 걸 시간을 줬으면
좋겠는데. 아무도 걔한테
허락해 달라고 한 사람
없거든. 그에 비해…
…넌 상당히 집착이
심해 보이네.
흥. 그래, 어쩌면 나만의…
독특한 관점일지도 모르지.
근데 너한테선 원래 그웬의
모습이 전혀 안 보여.
아, 한 가지
비슷한
점이 있긴 하네.
이 녀석이
널 앞에 두고 어디에
정신 팔렸는지 알아? 너희들
전부가 있는데도?
헤. 예나 지금이나
똑같잖아, 피트.

"항상 한 사람만
바라본다니까."
IXIV

내 차갑게 멈춘 심장에 얼마나 온기가 돌았는지 모를 거야….

우리 셋이
드디어 다시
만나다니.
반가운
소리네…
…해리.
흠. 알고 있단
뜻이군.
그래, 그게
최선이겠지.
자, 얼른 앉아.
다시 만나서 얼마나 반가운지
넌 전혀 모를걸. 할 얘기가
정말 많아!
해리,
내 생각엔…
아,
그건 이따
얘기하고.
친한 친구
부탁 좀 들어줘.
CHKSH

당장 떨어져,
개자식아!
KRUNCH

HWIP
KA-
CHAM

그만!
도대체
얼마나 많이 죽여야
받아들일까?
넌 날
이길 수 없어, 피트.
어쩌면…
죽는 꼴을
MJ한테 보여 주면
도움이 될지도
모르겠군.
그만해!!!

그만해.
식사 한 끼
하고 싶댔지?

그럼 그렇게
하자고.

말 고마워, MJ. 진심으로.
데 피트가 그럴 생각이
있는지 모르겠는데.
헛소리 마.

타이거.

얘 말대로…

…일단 앉자.

아주 좋아!
MJ가
들어갔다.

그러더니 그 여자가 그러는 거야…
"별이나 잘 바라보는 편은 어떨까요?"
하하하하!
아, 옛날엔 참 좋았는데. 안 그래?
그 시절 피트를 너희가 직접 볼 수 있으면 얼마나 좋을까, 하는 생각을 해.
온 세상이 우리 것 같은 시절이었잖아.
피트는 대단한 과학자가 될 참이었고…
난 우리 집안이 일군 대제국을 상속받을 예정이었어.
그리고 MJ, 너는…
…아주 유명해질 예정이었지.
"그날 밤 수많은 사람 속에서 무대 위에 있는 널 보며 정말 그런 미래가 실현될 거란 생각을 했어. 우리 셋 모두에게 말이야."
"넌 첫 공연에서 대박을 터뜨리고, 피터는 우리 아버지가 제안한 일자리를 수락했으니까…"
…그런데 내가 문제였지.
그날 밤이 바로 내가 나락으로 떨어지기 시작한 날이라고 봐. 그때 미리 알았어야 했는데…
*"그 이야기 속에 내 자리는 전혀 없었다는 사실을."
*『테일즈 오브 피터 파커』 ASM #40 참조! — 편집자

피트하고 그웬은… 그러니까 '진짜 그웬' 말이지. 아무튼 둘이 헤어지고 그웬은 유럽에 갔잖아. **정말 난해한 상황이었어.**
그런데 피트가 동네로 돌아오니 MJ, 네가 나를 찼지.
아, 왜 이래? 너희 둘 사이는 누가 봐도 늘 뻔했어.
해리, 그게 아니라—
그렇지 않아.
아직도 그 일에 내 탓을 하면 안 되지. 사실이 아니라고. 사실이라 해도 그때 우린 어린애들이었어.
사람은 살면서 가슴 찢어지는 일을 겪어. 그래도 전부 너처럼 무너져 내리진 않아. **위대하신 해리 오스본께서는** 갖고 싶은 걸 못 갖는 게 익숙지 않으셨나 보네.
피터—
괜찮아, MJ. 이놈은 더 들어야 해. 어차피 이 녀석이 무슨 짓을 해도 난 절대 막을 수 없단 말이지.
그러니 최소한 저 '나 너무 불쌍해' 놀이에선 모두를 건져 내야겠어. 옛날 시절 상상이 그렇게 좋아? 알았어. 근데 그날 밤 누가 널 병원으로 데려다줬는지는 잊지 마라.
그게 마지막이 아니었다는 것도.
흥. 맞는 말이야, 피트. 어디서부터 잘못된 건지 계속 따지고 싶군. 그날도 네가 의사를 불렀더니 창문 밖에 나타난 건 의사가 아니라 사랑하는 우리 아버지…
*"…그린 고블린이었지."
*『마블 코믹스: 창밖의 세상』 ASM #97 참조! — 편집자

물론 그 당시 난 아무것도 몰랐어. 의식이 없었으니까. 의식이 있었더라도 아버지가 어떤 사람인지, 어떤 존재가 됐는지는 몰랐겠지.
근데 넌 알았잖아. 아니야?

알고 있었는데도 나한테 그 사실을 숨겼어.
다 널 지키려고 그런 거야. 그걸 알면 아버지를 존경하던 네가 무너지고 말 테니까—

내 아버지 였다고!
나한텐 알 권리가 있었어! 내 가족이지, 네 가족이 아니었다고! 내가 알았으면 도와드렸을 텐데, 넌 아버질 그냥 풀어놔 버렸잖아!
KRSH

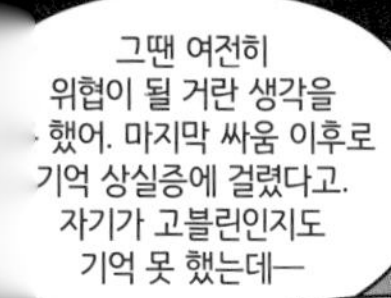
그땐 여전히 위협이 될 거란 생각을 했어. 마지막 싸움 이후로 기억 상실증에 걸렸다고. 자기가 고블린인지도 기억 못 했는데—
또 시작이군. 거짓말 말이지. 기억 상실증 때문에 놔 주셨다?
그래, 피트. 옳은 말 했다. 근데 아버지가 당신이 누군지 기억하질 못해서가 아니었잖아.

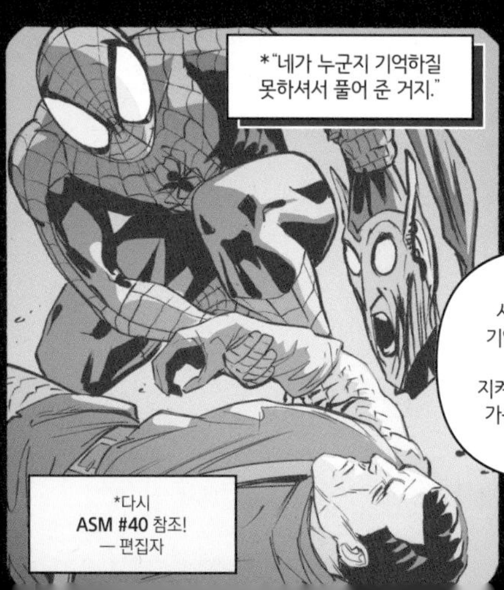
*"네가 누군지 기억하질 못하셔서 풀어 준 거지."
*다시 ASM #40 참조! — 편집자

아니, 아니야—
맞아. 사람은 거짓말조차 기억 못 할 때가 있지. 네 비밀 신분을 지켜야 했으니 병원이나 가족이 지켜보게 하는 대신에…
…언제 정신이 나갈지 모르는 사람을 우리 주변에 풀어 둔 거야. 네가 그때 제대로 처신했으면 몇 달 후에 아버지가 유럽에 가시긴 했을까?

"대교 위에
올라가셨을까?"
아냐,
그게 아니라고. 그렇게
간단한 문제가—
간단한 문제였어.
네 이기심, 두려움 때문에
그웬이, 우리 모두가
대가를 치렀어.
여기 있는
사람들도 대가를
치를 거야.
진입한다.

모든 걸 끝낼 때가 됐어!
멈춰!

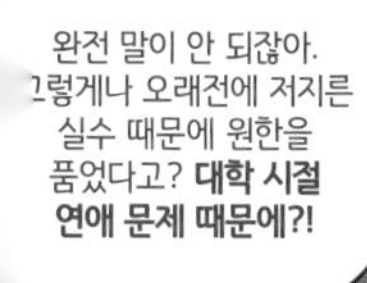

완전 말이 안 되잖아. 그렇게나 오래전에 저지른 실수 때문에 원한을 품었다고? **대학 시절 연애 문제 때문에?!**

내가 아는 해리 오스본은 진작에 그런 건 다 이겨 내고, 자기 인생을 살면서 가족까지 만들었어.
이건 말도 안 돼. 이런 걸 자백하라고 난동을 피웠을 리가 없어.

흥, 피트… 당연히 아니지.
그것보다 훨씬 더 깊은 문제란 걸 잘 알잖아.
그럼 뭔데! 뭐냐고! 그냥 말하란 말이야!
내가 뭘 했든, 어떤 잘못을 했든 미안하다고. 네가 이렇게까지 변한 이유가 뭐든지 간에—

내가… 내가… 변해?

날
KRAK
바꾼건
SHRUT
바로 너야!
TRUNCH
그래, 친구들과…
…새로운 하루를 위하여!
걔는 기억 못 해.

모르겠어?
화가 잔뜩 난 만큼…
우릴 구하려고
아무 말이나 다 뱉을 거야.
그러니까…
…이제
그만해.
여기 오는 길에 그날 밤 생각을 해 봤어.
네가… 죽기 전날 밤 말이야.
넌 고블린 코스튬을 입고 몇 주 동안
우릴 공포의 도가니 속에서 떨게 했지.
날 잡아서 다리 위로 날아올랐고. 그땐 정말
정신이 나갈 만큼 무서웠어.
근데 그때 네가
나한테 무슨 말을 했는지
기억나?
"절대, 절대로 널 다치게
하지 않겠어!"
"너는 내 친구야…
내 인생에서 가장 소중한
친구라고!"
난 그 말을
믿었어, 해리.
그리고 지금도
믿고 있어.
MJ, 넌 잘 몰라.
지금 나쁜 짓을 하는 건 내가 아니야.
널 해치려는 것도 내가 아니야.
바로 저놈이지.
그날 밤에도,
그리고 오늘까지도
여전히 모르고 있어. 저놈은
죽음 그 자체야.
우리 모두에게
죽음과 해악인 녀석이라고.
너한테 말해 주고 싶은 게
너무나도 많지만, 이것만
알아줬으면 해.
여기서 끝을 봐야
한다는 걸. 당장.
그러면 여기서
끝을 내자…

…나랑.
MJ—
아니, 내 말부터 들어. 피터한테 무슨 자백을 바랐겠지만… 나도 너한테 빚이 있어, 해리.
난… 옛날 그 시절 네게 진정한 친구가 되어 주질 못했어. 나한테도… 많은 일이 있었거든. 그렇지만 그때 일 때문에 상황이 이렇게 된 거라면…
…책임을 져야 하는 사람은 바로 나야.
아니야—
해리, 알잖아. 피터한테 네 고통을 이해시킬 방법은 날 죽이는 것 말고는 없어. 그러니까 피터하고 다른 사람들은 그냥 놔줘.
항상 숙원 얘기를 했었잖아. 이것도 그 숙원의 일환 아니야?
피터가 사랑하는 사람을 죽이는 것 말이야.
더 깔끔하고 단순하지 않냐고!
망할… 메리 제인….
이걸로 끝내겠다는 맹세만 해 줘.
그 녀석은 그렇게 못 해. 선택권이 없거든.

재미 보는 건
거기까지 해라,
아들아.
안 돼.
지금은 안 돼, 노먼.
이런 식으로는—
아, 그래.
날 묶어 두려고 했었지.
직접 만날 용기가
생기기 전에 부하들을 써서
날 약해지게 했어.
넌 항상 겁쟁이 녀석이었다.
*레이븐크로프트에
날 처음 만나러 오고 나서 내가
네 마법 장난질을 대비해 아무것도
안 했을 줄 알았냐?
그건— 불가능한—
불쌍한 해리,
또 쉬운 길만 골라 가려고
하는구나.
*『프레시 스타트 Vol. 4』 참조!
널 오냐오냐하며 길렀더니
이리됐겠지. 이제
그딴 건 없다!
안 돼! 이건
내가 끝내야 할 일이야.
그리고 당신도 이 녀석들을
다 싫어하면서 왜
이러는 거지?!
왜 이러냐니…
…이놈들은
내 거니까 그렇지!

MJ...!!

무슨 짓이야?!
배짱이 없어서 네가 못 한 짓을 대신해 줬다!
아냐… 이걸 바란 게 아니었어.
아, 왜 이래. 좋은 아이이긴 하지만 미끼로 쓰는 게 훨씬 더 낫다고.
안 돼… 아니야….
네 녀석이 다 망쳤어! 죽여 버리겠다!
어디 한번 보자, 아들아. 얼마나 강해졌는지! 덤벼!
지금이야!!!

피스크,
지금이라고!
시작해.
RRRRRUMBLE
무슨
일이지?!
어둠이….
MJ?
쉬잇… 걱정 마.
나 그렇게 쉽게
죽는 사람 아니야,
타이거.
다
괜찮을 거야…
"…내 말
믿어."

#53 VARIANT BY
HUMBERTO RAMOS & EDGAR DELGADO

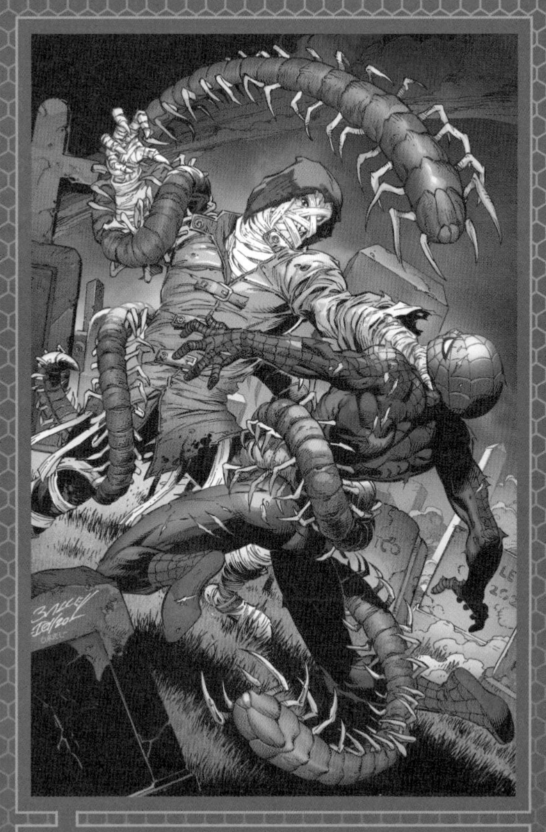

#54 VARIANT BY
MARK BAGLEY, JOHN DELL & DAVID CURIEL

#54 KNULLIFIED VARIANT BY
PAULO SIQUEIRA & RACHELLE ROSENBERG

라스트 리메인즈: 사후 조사 1부

정말 그놈이 맞다고?
그래.
확실해.
드디어 이놈을 잡았군.
그래, 전에 이 녀석과 만났다는 얘기는… 이미 들었어. 네 부탁에 아주 불친절한 답변을 했다던데.
입 조심해, 원장. 내 일은 내가 알아서 한다.
당연한 소리. 내 말은 그저 좀 더 유리한 조건을 들고 다시 만나면 그쪽에서도 더 호응을 보이지 않겠냐, 그 말이야.
흠. 뭘 노리고 이런 대인 같은 제안을 하는 거지?
그냥 나랑 그 킨드레드 녀석 둘이서 풀 얘기가 있다고만 알아 둬.
지금 내 자력이 묶여 있는 상황에 그렇게나 강력한 녀석을 상대해야 하는데, 마침 너한테 머리를 열심히 조아리는 판이잖아? 그러니…
…이왕 그런 거, 서로 돕는 편이 좋지 않겠어?

완벽한 함정을 파 놨어. 젊은 여자애 하나가 아무 의심도 없이 미끼를 자처하더군. 문제는 그 마귀 놈을 잡아 둘 방법이 없다는 거야.
그런데 내각 회의에서 흘러나온 말을 들어 보니… 네가 '블랭크' 프로젝트라는 걸 진행하고 있다던데.
그래, 아주 잘 흘러가고 있지.
무슨 프로젝트지? 이놈은 아는 얼굴이군. 스팟이란 이름이었어.
그래, 그 녀석이야. 삼류 범죄자에 단 한 번도 큰물에서 놀아 본 적 없는 놈이지만, 이놈의 능력이 상당히 구미를 당겼지. 그래서 그 능력의 원천을 증폭한 후 추출했어.
"너도 알다시피, 하이드라가 미국을 지배했을 때, 맨해튼을 다크포스 역장 안에 가두는 작전이 쿠데타 성공에 지대한 영향을 미쳤단 말이지."
"뉴욕의 히어로란 것들은 나락으로 굴러떨어졌지만, 난 달랐어. 약자를 보호하고, 물자를 관리하며 갖은 힘을 다했고, 모두를 이끌었지."
"그리고 모든 게 원래대로 돌아오자 그 노력이 날 선거 대승으로 이끌었어."
그런데 다크포스 디멘션의 힘을 잊은 건 전혀 아니야. 용도가 무궁무진하니까.
그중에서도 으뜸은 감금 기능이지. 그래, 그거면 아주 잘 먹힐 것 같군.
그러면 거래 성립이다. 조건 몇 가지를 붙이고 싶을 텐데, 가장 중요한 조건은…

"'내가 먼저
놈을 처리한다.'"
피스크,
지금이라고!

시작해.

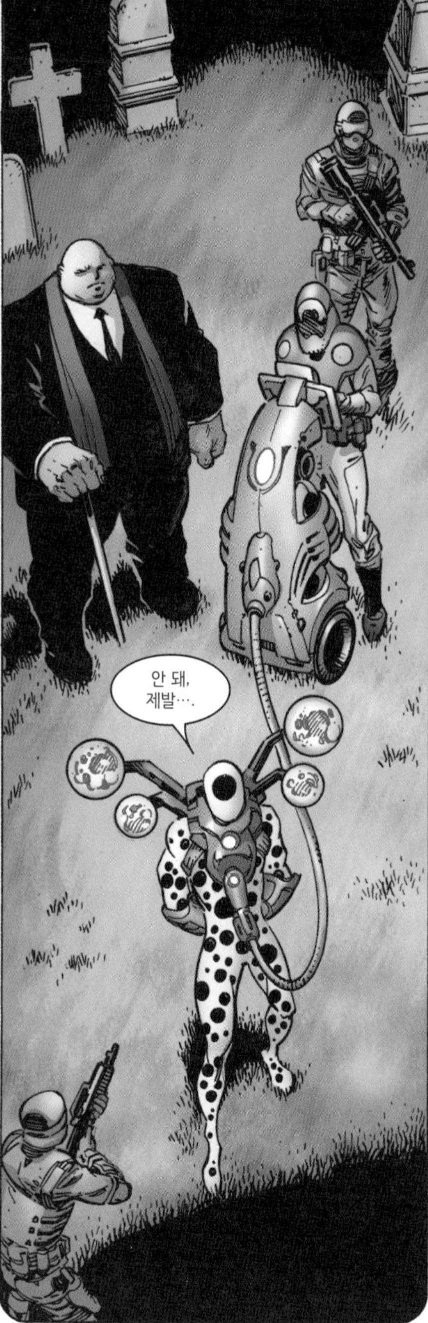
안 돼,
제발….

제발….
하기 싫어!

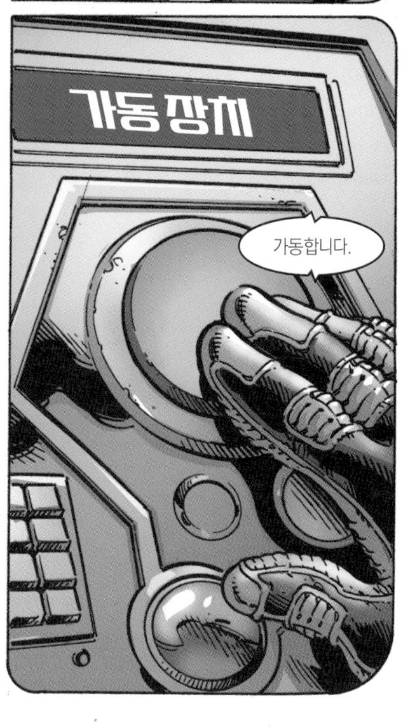
가동 장치
가동합니다.

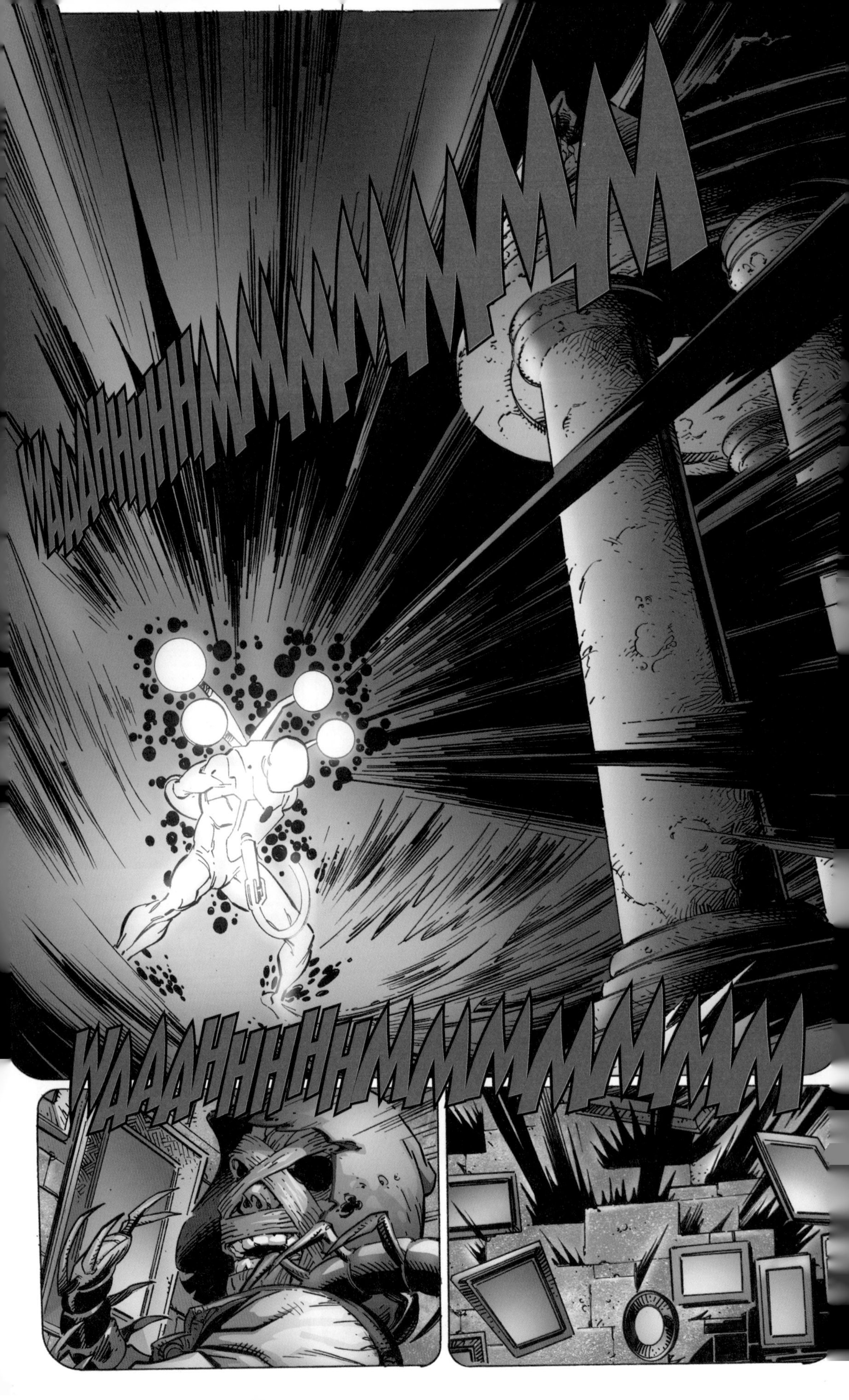
WAAHHHHHMMMMMMMMMMMM
WAAHHHHHHMMMMMMMMMMMM

현재.
레이븐크로프트
정신 이상
범죄자
수용소

원장님?

오스본
원장님?

뭐지?
바, 방해해서 죄송합니다만, 다른 게 아니라…
…전에 말씀하셨던 보고서 작성이 끝났습니다. 실험체를 둘러싼 역장의 세기에 관한 거요.

어디 한번 볼까!
예상했던 대로 저 악령이 빠져나올 일은 없습니다.

그럴 생각도 없어 보이고요. 저희한테 구금된 뒤부터 지금까지 계속 일종의 가사 상태에 돌입한 걸로 보입니다.
생체 신호는?
아스트랄 투영도 확인 결과, 모두 정상입니다.

그리고 자네가 건 마법 주문에 따르면…
네, 역장 감옥 안팎의 소리는 서로 다 들립니다. 이자가 말을 하지 않을 뿐이죠….
그럼 얼른 치료해 줘야겠군. 이러니저러니 해도…

…우리끼리
의논할 얘기가
많으니까.
레이븐크로프트에
온 걸 환영하지,
피스크 시장.
오스본 원장, 너도 알다시피
내가 널 원장 자리에 앉힐 때,
수많은 사람이 나더러
미친놈이라고 했어.
그렇지만 그 믿음을
모두 갚았군.

내가 보이나,
마귀 놈아?
전에 내가
직접 널 찾아가
부탁을 했었지. 일생일대의
소원이라며 무릎까지
꿇었는데 거절당했고.
무릎이 안 되니…

…주먹을 들고
다시 찾아왔다.

이번엔 얼마나
말을 잘 들을지 보자고.
억제기 준비해.
심문을 시작한다.
안 돼!

…오스본?
시장님께 미안하지만,
억제기는 아직 준비가 안 됐어.
그리고…
…놈을 데려왔잖아.
함정으로 이 녀석을
잡은 건 나야.

거래를
잊었나?

거래? 노먼, 왜 이래? 우리 사이가 그런 말을 덥석 믿을 정도로 순진한 관계라고 믿었다는 말처럼 들리는데.
일리 있는 소리군. 그러면 더 깊숙한 곳에 있는 네 본성을 걸고 넘어져야겠어. 너도 잘 알잖아, 네가 무슨 난장판을 벌여도…

…나만큼 이 녀석한테 고통을 줄 수 없다는 거.

나 먼저 재미 보게 해 줘. 너덜너덜하게 만들어 주지.
네 부탁 들어주고도 남을 만한 상태로.

흠….

너도 나랑 같은 괴물이지, 노먼. 근데 내 인내심을 시험하진 마라…

이미 기다릴 만큼
기다린 상황이니까.
다들 자리 좀
비켜 주게.
지금 당장!

해리?

해리, 시간이 많지 않아. 부탁이니 내 말 잘 들어라.

지금 말하는 건 나, 진짜 네 아버지야. 공동묘지에서 한 말은 다 거짓말이다. 정말 미안하구나.
내 말을 꼭 들어야 한다. **이 방법밖에 없었어.**

사실이 아니길 바랐었다. 널 설득할 사람이 나타나길 바랐어. 내가 그럴 수 없단 걸 알았으니까.
그런데 묘지에서 네 목소리를 듣는 순간 무엇으로도 널 막을 수 없단 걸 알게 됐어. 왜냐면 그 목소리엔…

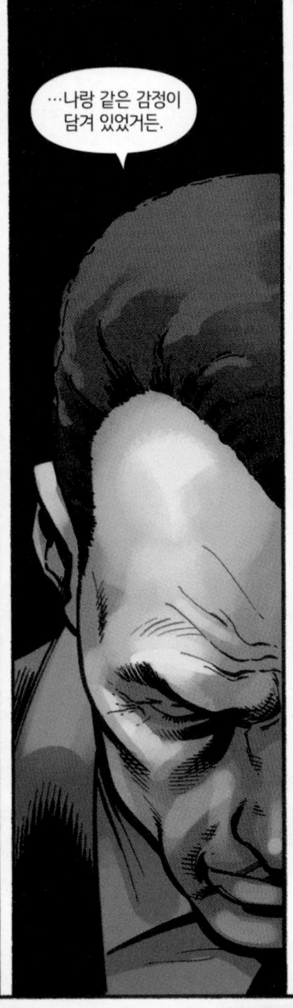
…나랑 같은 감정이 담겨 있었거든.

사달이 나기 전에 미리 막아야 했다, 해리.
피스크하고 거래를 한 건 그게 내가 쥐어짜 낼 수 있는 유일한 방법이었기 때문이야.

네가 그 애들을 해치게 둘 순 없었단다.

24시간 전.
내 거니까 그렇지!
MJ!!!
MJ!!!
쉬잇… 괜찮아, 타이거.
그냥 섬광탄이라 폭발음이랑 연기만 날 뿐이야. 카메라 앞에서 많이 봤거든.
계속 연기하자.

걔한텐
만일을 대비해 계획을
말해 뒀어.
메리 제인,
가는 길이다.
시간을
끌어야 해.
그리고…
"…네가 노리는 게
나라는 것도 알고 있었어."

이것도 다 작전에 포함된 거지?
이건… 잘 모르겠네?
그럼 이게 뭐든지 간에…

…묘지 전체를 **무너뜨릴 거야.**

빨리 빠져나가야 해.
너도 같이 가야지.
아직 안 돼.

친구들 좀 도와줘. 고블린이랑 킨드레드가 서로 싸우는 동안 다들 정신 차려야 해.

난 마무리 짓고
갈게.
하아
설득부터 해야 할
순간인 건
분명 알지만…

보고
싶었어.

넌 분명 아비에게 배신당했다고 생각하겠지.
너 대신 그 녀석들을 골랐다고. 하지만 그건 사실이 아니야.

모든 건 다… 널 위해서 한 일이다.
넌 네가 지옥 구덩이 밖으로 나온 괴물이 됐다고 믿겠지만…

…아직 내 아들이 그 몸속 어딘가에 있음을 알고 있어.
그 사람들을, 무고한 이들을 죽이고 나면 넌 그 몸속 더 깊숙한 곳에 파묻히고 말 거야.

나한테 무슨 일이 일어났는지 알기에 장담할 수 있다, 해리.
거울 속 내 모습을 보는 일이 너무나 힘들어지자 그 뒤틀린 모습대로 살기로 했던 게 똑똑히 기억나거든.

이건 다 내 잘못이고 누구도 탓할 수 없어.
내가 네 속에… 뒤틀린 마음을 심은 거야.
그렇지만 이 아비가 그 굴레를 벗겨 주마.

"네가 내게
그랬던 것처럼."

아직도 네가
신 이터를 그렇게 부려서
뭘 쫓고 있던 건진 모르겠다.
어쩌면 날 죽이기 전에 그냥
무력화시키려던 걸지도 모르지.
그렇지만 이것만은
알아 두거라….
네가 준
선물이 너무나도
고맙단다.

사랑이 가득한
아버지의 마음으로
널 볼 수 있게
해 줘서…
…머릿속에서
비명을 지르는 마귀 없이
네게 부성애를 품을 수 있게
해 줘서 말이다.
이런 자유를
위해서라면 뭐든
내줬을 거야.

그 안에
이런 자유를 원하는
작은 네 일부분이
숨어 있다는 것을…
…내 아들도
이렇게 해 주길
진정으로 바란다는
것을 알아.

왜 그렇게
확신하는지
궁금해?

"신 이터가 받아 갔던
죄는 모두 풀려났어.
그리고 그것들은 모두…"
"…원래 주인들한테
돌아갔지."
"그래서 혼돈과
파괴의 도가니가
펼쳐졌어."
SHOES
"여기
레이븐크로프트와…"

"…도시 전체에 말이야."
택시!
METRO TAXI

39번가 11번길요.
넵. 근데 그쪽은 보수 공사 하고 있어서…
METRO TAXI

…우회로로 가도 될까요?

으아아아아아아악!

오버드라이브?!
아직 절 기억하는군요? 다행이네요.
사, 살아 있네요? 그러니까, 혼수상태였는데 말이죠.
네, 아직도 어떻게 된 건지 잘 모르겠지만.

"제가 아는 건 신 이터가 절 쏘면서 뭔가를 빼앗아 갔는데…"
"…그게 엄청난 기세로 되돌아왔다는 것뿐이에요."

그러고 나서…
유치장을
탈출했나 보네요?
뭐라더라…
'법원 자진 출석을 약속하고
스스로 나왔다'고
할게요.

절
체포하실 건가요,
쿠퍼 경관님?

계획이나
들어 보죠. 계속
도망 다니려고요?
실은 경관님하고
저녁 식사나 한 끼
하려고 했어요.
저녁요?
네.

다, 당신
지금 미쳤어요?!
안 돼요?
당신은
슈퍼빌런이잖아요,
세상에!!!
맞아요.
근데 말이죠…

전에 영안실에서
제가 했던 말 기억하세요? 죄가
있든, 없든 다 진심으로 한 말이었어요.
제가 원해서 일부러 일으킨 일은
단 하나도 없었어요.
슈퍼빌런이나
범죄자 같은 건
되고 싶었던 적도 없어요.
오히려 착한 편에
서고 싶었죠.
전 그냥… 길을
잘못 들었을 뿐이에요.
잘못된 사람들과
어울리면서요.

그러다 만난
경관님이…

…제 목숨을 구해 주셨죠.
전 아무것도—
그렇지 않아요. 그리고 면식도 없는 저를 위해 병상 옆을 며칠이나 지켜 주셨잖아요.
그래서 제가 깨어났을 때, 전 어떻게든 모든 걸 바로잡자고 생각했죠. 이런 사람이 곁에 둬야 하는 사람이다…
…이런 사람이랑 밥 한 끼 먹어야겠다고요.
커피부터 하죠.

VRRRRRMMMMM
아, 칼리…
…살면서 한 짓 중에 제일 바보 같은 짓이다, 진짜.

셋이서
브런치 먹어도
되겠어!
F.E.A.S.T. PRO

메이 숙모,
말씀드렸잖아요.
저 여자 친구랑
헤어졌다니까요.
아마도요.
네 비밀 여자 친구가
보낸 이 많은 물건을 보면
절대 아닌 것 같은데.
F.E.A.S.T. 센터에서
1년은 쓸 수 있는 유기농
통조림을 보냈는데, 그게
"사랑해요"라는 뜻이 아니라면
도대체 무슨 뜻일지
난 모르겠구나.

거기다 쪽지까지
같이 보냈잖니? 화살에
맞은 하트 그림을
이렇게…
그건
단검이에요.
아무래도 살인
협박이겠죠.
애정 표현은
사람마다 다
다른 법이란다.
KNOCK
KNOCK
KNOCK

아이고, 또 왔어?
나갑니다!
KNOCK
KNOCK
하아
숙모가 받아 주실래요?
저번에 배달원들을
시켜서 노래를 부르게
했잖아요.

즐거웠었지.
'장미의 입맞춤' 노래가
그렇게 좋더구나.

안녕하세요, 혹시
상자 수가 많으면 정문 말고
돌아서 뒷문 쪽으로
와 주시…

…겠어요.
제발….

제발 나 좀
도와주세요. 그 사람이
날 찾아낼 거야.
날
찾아낼 거라
고오오…
HOURS OF OPERATION
5:00
10:00
…마틴 리?

모든 죄가
주인을 찾아 돌아갔지만,
난 아직 이렇게 멀쩡해.
네가 날 멀쩡히 뒀다는 건
분명 어떤 이유나 의도가 있어서
그런 거겠지. 내가 이 앞에
서 있는 것과 같은 이유라는
희망을 떨쳐낼 수가 없어.
해리, 마침내
우리가 진짜 가족이
될 수 있는 거야!
같이 아이들도
볼 수 있어… 내 손주들이
역겨운 노름판 위
장기 말로 쓰이는 일 없이
잘 크는 걸 말이야!
둘이서 함께… 의미 있는
일을 하고 좋은 일에 재능을
쓸 수도 있겠지.
상상이 되니?
제대로 오스본의
명예를 되찾는 거야.
그러려면 이 일을 다 끝내야 한다.
넌 지금 아파, 해리. 하지만
여기 레이븐크로프트에는 내 상태를
더 낫게 해 줄 시설이 있어.
네가 날 도와줬듯이
나도 널 돕게 해 다오.
부탁한다.
나한테 말 한마디라도 해 주면 같이 이 일을
이겨 낼 방법을 찾을 수 있어.
아들아,
제발… 다 듣고
있는 거 안다.
하아
너한테
무슨 일이 있던 건지
내가 정말 이해하기 힘든
부분이 많단다.
네가 우리한테
마지막에 했던 말만 계속
생각날 뿐이야….

잘됐군…

…마침내
우리만 남았어.

내가 진짜로 바라던 게
이 장면이었다는 걸
알지?

우리 셋…
나, 아버지, 나의 가장
친한 친구.
저질 농담의
첫 구절 같은 장면이네.
실제로도…

정말
저질스럽지만.
안됐어.
우리 셋 모두한테 지금 일은
정말 힘들잖아? 그래도 난 두 사람 다
나처럼 고통받길 바라. 그래야
진실을 볼 수 있을 테니까.

그것만이 너희가
무슨 짓을 했는지 기억할
유일한 방법이야.

피트, 내가 그냥 너나 네가 사랑하는 사람을 습격했다면 네 녀석은 또 그 영웅 놀음을 했겠지.
그 사람들이 고통받는 이유가 바로 너란 걸 알길 바랐다. 혼자만 착한 척, 잘난 척하는 너 때문에 모든 게 더 악화한다는 것을.

그리고 당신, 아버지….
고블린이 남아 있었다면 절대 고통을 느끼지 못했겠지. 그래서 고블린을 제거할 수밖에 없었어.
이제 고통은 온전히 당신 몫이야.

이렇게까지 하면 두 사람 모두 알아먹을 줄 알았는데 기억조차 못 하다니. 그만큼 거짓이 두텁단 뜻이겠지.
그러니 여기서부터가 출발점이야. 두 사람은 이제 사건을 풀어 낼 거야.
그리고 점점 더 깊숙하게 파고들다 보면 알게 되겠지…

…너희가 외면했던 진실이 무엇인지를.

나, 난 두 사람을 정말 사랑했는데…

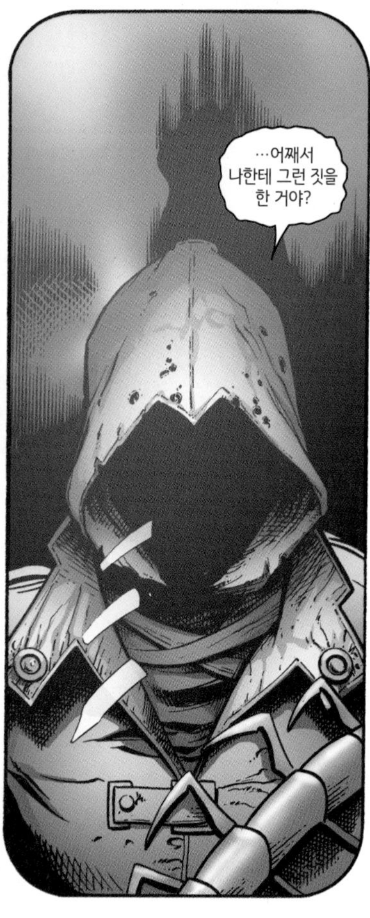
…어째서 나한테 그런 짓을 한 거야?

해리?
해리?!

어떻게 된…
이게 뭐야?

일단 마스크부터 쓰고…
…몸을 숨겨.

다 내 잘못인 거 안다, 해리. 어떻게 해야 할지를 모를 뿐이야.
난 끔찍한 일을 너무나도 많이 저질렀지만, 지금은 그게 다 멀고 흐릿하게 느껴져. 마치 저 먼 곳으로 떨어져 나간 것처럼…
…그렇지만 약속하마. 네가 말했던 진실이 뭔지 꼭 알아낼게.
CRASH!
노먼 오스본!

우리
대화 좀 하지.

57

라스트 리메인즈: 사후 조사 2부

다 끝났어,
피트.

잡혀 버렸으니.

정확힌 네가 아니라
윌슨 피스크가 날
잡아 가둔 거지만…

…친애하는
아버지 덕이
적지 않기도 했고.

그래도 안 졌다고
바락바락 우기긴 싫어.
제대로 즐기라고.
사건이 마무리되면…

…히어로도
행복한 결말을
누려야 하잖아?
…피터?
MJ?

너무 순식간에
일어난 일이라 아직도
네가 여기 있는 게
믿어지지 않아….

정말
MJ 너 맞지?

그래, 타이거.
나 맞아.
저 안에서
잠깐이지만
난 정말…

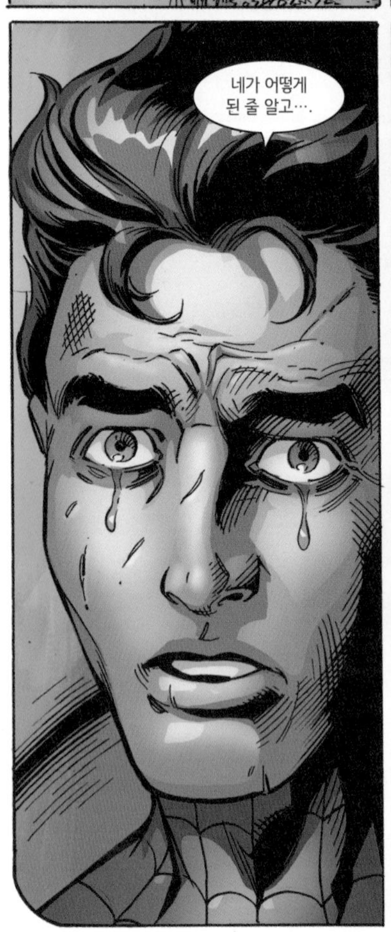
네가 어떻게
된 줄 알고….

세상에,
피터….

그놈한테 무슨 짓을
당한 거야?
그래…

…우리도
다 같은 질문을
하고 싶거든.
제스, 마일스,
다들 괜찮아?
네, 괜찮아요.
근데…
…안에서 무슨 일이
있었어요?
난…

나도
모르겠어.
지금
장난쳐요?
뭐라도 좀
알려 달란 말이에요.
당신 땜에 우리가
이런 일을 당했는데.
그웬, 나도
그건 알지만—
당신 선택 때문에
이렇게 됐다고요.
우린 다 당신을 믿었어요.
우릴 위한 선택이라
생각했고요.
우릴 생각해서
내린 결정이
있기는 한 거예요,
피터?
숨기고 있는
얘기가 정말 많다는
느낌이 들거든요.
그만…
…거기까지만 해.
이게
무슨 일이든 다들
지금 상태론 아무것도
알지 못해.
맞는
말이야.
우린 대답을
들을 자격이 있어. 다만
지금은 때가 아니야.
피터? 그래도
대답은 해 줘….

당장.
대답을 들어야겠어, 노먼.

마, 마침 잘 찾아왔군.
공동묘지에서 있던 일은 정말 미안했어. 메리 제인한테는 절대 아무 일도 안 일어나게끔 했다는 걸 알아줬으면—

그만!
KTCHUNK

그 이름 입에 담지도 마.
MJ가 죽을 수도 있었어. 당신 때문에 거의 죽을 뻔했다고.

항상 당신 때문이야. 안 그래?
그린 고블린 때문에 또 다른 희생자가 나오지.
피터, 싸움에 술책을 써서 미안하지만, 지금의 난 달라졌다는 걸 알아줘.

좋아, 당장은 참는다.
탈출선에서 당신을 집어던지고 신 이터한테 넘겼을 땐 드디어 모든 게 바뀐다고, 다 끝났다고 믿고 싶던 것 같아.
근데 당신은 아직 여기 있네.

변함없이 거짓말만 뱉는 괴물인 채로.
왜 아무런 의심도 안 했던 건지 모르겠군. 이런 일을 우리가 얼마나 겪어 봤더라?

'기억 상실증에 걸려서 고블린이었던 걸 기억 못 해.'
그러고 나서 정신병을 치료하려고 약물 치료를 하지. 그다음 갑자기 본인이 클리터스 캐시디라고 생각하게 되고… 아님 메이슨 뱅크스였던가?

비슷한 이야기가 너무 많아서 제대로 기억도 안 나. 그렇지만 결과는 전부 같았어.
누군가 죽었지. 매번 누군가 죽었다고.

그, 그래. 그렇게 생각하는 게 당연하지, 피터. 어쭙잖은 사과로 널 모욕하진 않으마. 후회와 비통함이 날 집어삼킬 듯하지만, 내가 너한테 한 일에 비하면 아무것도 아닌 수준이니까.
돌아가서 모든 걸 바꿀 수 있다면, 네게 고통을 주는 자가 아니라 아버지, 멘토 같은 존재가 될 수 있다면 뭐든 하겠다는 말로 널 모욕하지도 않겠어.

뜬금없이 날 믿어 줄 이유가 생길 턱이 없다는 걸 잘 안다. 난 멍청한 놈이었어. 절대 해서는 안 되는 짓을 저질렀고 네가 사랑하는 이들을 위험에 빠뜨렸으니까. 하지만…
…하지만 어떻게 해야 할지 전혀 몰랐고, 뭐라도 해야 했다, 피터….

…이 아이는 내 아들이니까.
내 영혼 속 악마가 너희 둘에게 그렇게 고통을 줬는데, 도대체 왜 우리 셋이 꽁꽁 엮인 건진 나도 몰라.
그렇지만 이게 현실이다.
우리가 해리를 도와야 해.

우리가 피터를 도와야 해.
분명한 사실이죠. 근데 우리가 그렇게 하게 두지 않을걸요.
상관없을 거야.
우리 모두 그때 뭘 봤는지 잘 알잖아.
끝은커녕 이제 시작일 뿐이지. 뭔가 큰 사건이 일어날 거야.
"킨드레드는 살아 있어."
"그 녀석이 뿌린 죄도 없어지지 않았고."
뭘 해야 할지 누가 말이라도 해야 말이죠.
간단해.

똘똘 뭉쳐
다니는 거야.
그다음은요? 규칙 정하기?
사무실 임대하기?
그것도 간단하지. 아직
이름을 안 정했거든.
아뇨, 정했어요.
비밀많아맨이 전에
슬쩍 정하고 갔잖아요. 근데
조금 기니까, 그냥…
'기사단'으로
해요.

싫어.

뭐? 왜 돕지 않겠다는—
그게 무슨… 진심으로 하는 말은 아니겠지—
이 안에 갇혀 있잖아. 썩어 없어지게 그냥 둬.

아니긴, 개소리하지 마!
뭐가 우릴 '꽁꽁 엮어'? **절대 아니야, 노먼!**
넌 나한테 아버지 같은 존재도, 그랬던 적도 없어. 그냥 제일 친한 친구의 아버지일 뿐이지.

솔직히 말해서 제일 친한 친구도 아니야.
내가 해리를 도울 수 있을 줄로만 알았어. 그런데 너한테 물려받은 악령의 핏줄하고 자기가 끌어모은 악령들…

…이제 해리한테 남은 건 그게 다야.

오스본 집안이든, 고블린이든 이제 난 손 떼겠어. 히어로가 되기로 한 건 사람들을, 선한 일을 하는 이들을 돕기 위해서였어.
그런데 갑자기… 뭔지 몰라도 이딴 일에 엮인 거야. 불화며 상처며 들먹이는 이딴 짓거리에.
해리하고 넌 공통점이 하나 있지. 항상 내 탓을 한다는 거.

아무래도 이제부턴 너희 일은 너희가 책임지는 게 좋겠어.
피터, 떠나지 마—

내 말은 듣지를 않아. 무슨 짓을 해도 반응하지 않는다고.
아직도 모르겠어?! 내 인생엔 지켜야 할 사람들이, 좋은 사람들이 있다고. 이젠 그 사람들을 제일 먼저 신경 쓸 거야. 이 역겨운 짓은 이제 끝났어.

난 할 말이 있어서 왔을 뿐이야, 노먼. 정확하고 분명하게 받아들여.
해리는 저대로 둬. 손끝이라도 풀려났다는 소식을 듣는다면 여길 싹 무너뜨려서 너랑 같이 파묻어 버리겠어.
이제 더 이상 기회는 없어.

나랑 내 주변 사람들한테 얼씬거리지도 마.
안 돼!!!
피터, 제발! 네가 말을 걸어 주면 들을지도 몰라. 지금 다 듣고 있지만 100퍼센트 못 움직이는 상태야. 너랑 메리 제인이 같이—

MJ는 건드릴 생각도 하지 마. 알아들었어?!
절대 MJ를 잃지 않겠어. **네 녀석이 앗아 가게 두지 않을 거라고!!!**

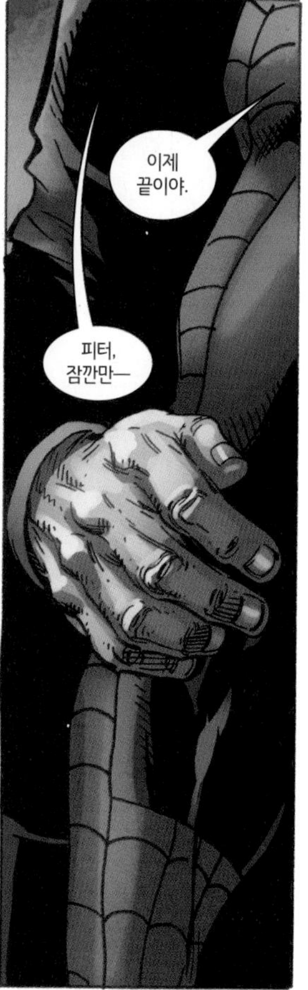
이제 끝이야.
피터, 잠깐만—

내가
MJ는
건드리지
말라고
분명히
말했지!

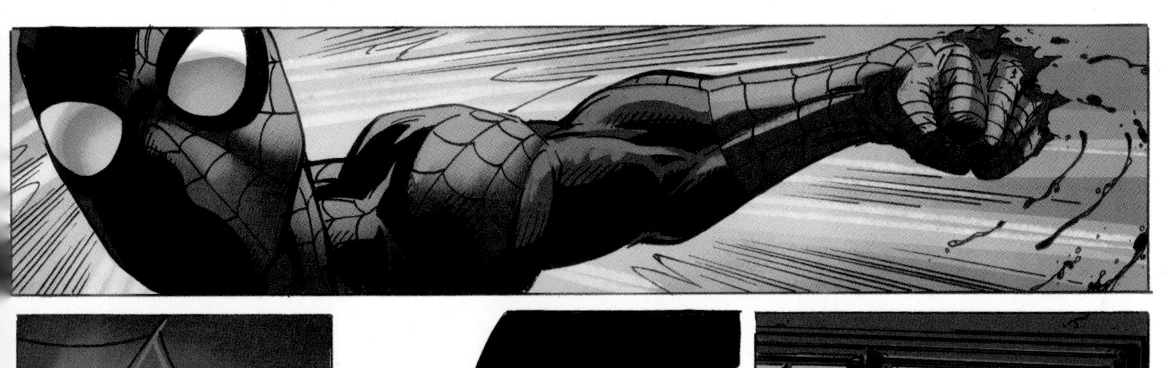

이야, 피터.
결말이 그리
행복하지 않은걸.
THWIP

어쩌면
네 스파이더센스가 뭔가
말하는 게 아닐까?
그게 뭘까?
아무튼
넌 바깥에서
안전과 자유를
누리지.

난 여기
이렇게 갇혀 있고.

바로 내가 원하던 대로.

여긴 왜
다시 온 거야?

오해 안 했으면 좋겠지만, 이렇게
다 꺼내 놓는 건 아주 진저리 난다고.
이미 신원 확인 끝나서 매장된 지
오래인 시신을 다시 보는 건
일반적 업무가 아니니까.
친구 부탁이
있어서.

친구라. 혹시 그 친구가 이 사망자들 사이에
무슨 연관성이 있는지 알아? 다 다른
묘지에 매장됐고 대부분은
서로 관계가 없지만—

그거 이리 줘.
오늘 밤은 그만
퇴근하는 게 어때?
나 혼자 할게.
마음대로 하셔.

그렇지,
집에 가라,
패트릭….
네가 이 시신들 사이에
무슨 연관점이 있는 건지
알아내면 안 되니까.
불쌍한 피터. 전 애인한테
항상 동정심 사는 것도
쉽지 않을 텐데, 그러기엔
이 킨드레드란 자는
정말 야비한 짓도
서슴지 않는구나.
피터가
사랑하는 사람들을
이렇게 다시 파헤쳐—
아니,
잠깐만….

맙소사.

제발. 제발 좀 받아라….
안녕하세요, MJ입니다. 지금 전화를 받을 수 없으니 메시지를 남겨 주시고, 변태 짓은 삼가세요.
아휴….
BEEP
MJ, 나야, 칼리. 이거 듣는 대로 바로 전화 줘. 알았지? 진짜 급한 일이야.
네가 부탁한 시신들을 봤는데, 원래 있어야 하는 것보다 시신 한 구가 더 있어.
그래서 다시 확인해 봤더니 마지막 시신은 목록에 없더라고. 어떻게 된 건지 모르겠지만 그 시신은… MJ, 그건—

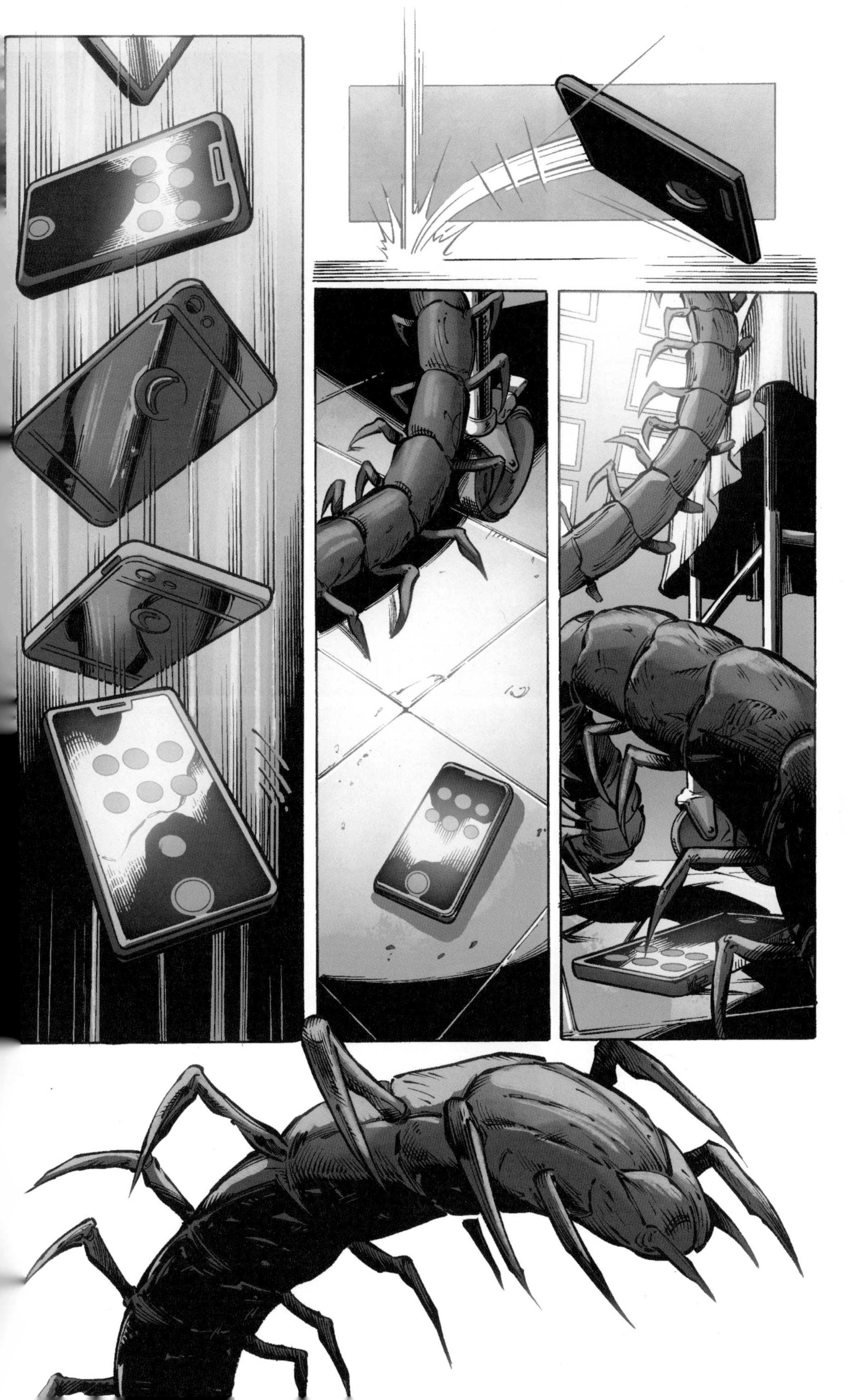

2:38
칼리 쿠퍼
부재중 전화
아직 안 끝난 거지?
응.
아직 안 끝났어.

#54 STORMBREAKERS VARIANT BY
IBAN COELLO

#55 VARIANT BY
GABRIELE DELL'OTTO

#56 VARIANT BY
PHILIP TAN & SEBASTIAN CHENG

네거티브 스페이스 1부

빠져나갈 길이 없네.
지난 며칠 동안 난…
지옥에
다녀왔다.
아니…

…아직 돌아오진
못했지. 이제 온 사방이
지옥이 됐어.
어딜 가도
지옥이 펼쳐진다.
내 죄가 일을
질질 끌고 있다….
마치 오랫동안
날 괴롭히는
귀신들처럼.
아냐,
귀신이 아니라…

…악령처럼.
이제 그것들을
직면할 때가 됐어.
그럼
덤벼 봐.

덤벼
보라고!!!
RRRAAAAAAAAGGGHHH!
갑자기 불쑥 일어난
일 같아 보이겠지만
이것도 다…

…연관된 사건이다.
얼마 전.
마틴, 부탁이니 뭐라도 좀 들어요. 먹어야 기운이 나죠.
F.E.A.S.T. PROJECT
제가 당신한테 저지른 일이 있는데… 저 같은 게 이런 친절한 대접을 받아선 안 돼요, 메이.
도움이란 필요한 사람이 얻어내야 하는 게 아니라 받아 마땅한 거예요.
이 말을 처음 알려 준 사람이 당신이었죠.
헤. 전 말은 많았지만, 다 거짓말뿐이었어요.
이 센터를 연 것도 다 제 다른 모습을 숨기기 위해서였는걸요. 마틴 리가 선행을 베푸는 동안…
"…미스터 네거티브는 힘을 길렀죠."
나쁘게 풀린 것만은 아니에요, 마틴. F.E.A.S.T. 센터가 지역 사회에 좋은 일을 많이 했으니까요. 그래서 제가 센터 재건을 위해 그렇게 노력한 거고요.
근데 제가 나타났으니 모든 게 수포가 됐군요.
말도 안 되는 소리.

먹을 것과 쉴 곳이 필요한 사람을 돕는 게 제 일인걸요.
마틴, 그래도 무슨 일이 있던 건지 조금 설명을 해 주면 좋을 것 같군요. 전에 저한테 설명하려고 했을 때는 좀—
네, 정신이 없었죠.
"오랜 세월 끝에 안개 밖으로 나온 느낌이었어요."
"전 오래전에 내면의 네거티브함에 맞서길 포기하고…"
"…균형을 받아들이는 법을 익히자고 생각했죠."
"하지만 그건 균형보단 굴복이었어요."
"미스터 네거티브의 정신에 파묻힌 채, 하루하루 점점 힘을 잃어 가는 와중이었는데…"
"…그자를 보게 됐어요. 도시를 배회하며 범죄자의 죄를 '정화'하던 신 이터를요."
"제 모든 걸 쏟아부은 끝에 몸의 통제권을 얻은 저는 신 이터를 찾아갔고, 처음엔 성공하지 못했지만 마침내…"
"기회가 찾아왔다고 생각했어요."
"…해냈죠."

"그러다 정신이 들자
드디어 그 긴 세월 동안 찾던
평화라는 걸 알게 됐어요."
"가진 게
하나도 없었지만
행복했습니다."
"하지만 행복은
오래가지 못했어요.
신 이터가 했던 짓은…"
"…일시적일 뿐이었죠."
"네거티브가 몸에
돌아오자마자 통제권을
빼앗으려는 게 느껴졌어요."
"최소 한 번은 기절했지만 어떻게든
녀석을 몰아낼 수 있었습니다.
어떻게 한 건지 잘은 모르겠지만,
아마 우리 둘의 유일무이한
특성 때문이 아닐까 싶어요."
"어쨌든 전 다시
자유로워졌어요"
"적어도 센터에
돌아올 수 있을 만큼은."

그래도 들어오지 말았어야 했는데.
마틴—
이해를 못 하고 계세요. 제가 당신과 이 장소를 위험에 빠뜨렸어요. 얼마나 더 정신을 붙잡고 있을 수 있는지 모르겠어요. 그리고 그거 말고도…
…기절한 적이 있다고 했잖아요. 그 말은 잠깐이지만 그놈이 몸을 조종했다는 뜻입니다.
그 귀한 시간을 어디에 써먹었는지 전혀 모르겠어요.

"어떤 함정을 쳤는지도 말이죠."
F.E.A.S.T. PROJECT

급하게
연락했는데
만나 줘서 고마워,
리즈.
별일 아닌걸, 피트.
오랜만에 보니까 반갑네.
너무 오래됐어. 난 매일매일
알케멕스 때문에
바빴고, 너는…
…너는 뭐 하고
지냈어?
이것저것
하면서….
흠,
어찌 됐든…
해리한테 말하면
너 보고 싶어서
길길이 날뛰겠어.
말도 안 돼. 리즈 앨런하고
딱 5분 얘기했을 뿐인데,
명확히 드러났어. 리즈는
해리 오스본한테 무슨 일이
생긴 건지 전혀 몰라.
리즈와 해리는 최근에 다시 만나
새로운 삶을 살고 있었다.
그땐 해리가 마침내 끔찍한 과거를
뒤로 떨쳐낸 줄로만 알았어.
날 속였겠지. 그렇지만
더 안 좋은 건…
…리즈까지
속였다는 거야.
말 나와서 그러는데,
해리가 어디 간다고
얘긴 했어?
런던, 아니,
파리래. 미안, 그이가
컨설팅 업무 때문에 요즘
여기저기 많이 다녀서 헷갈리네.
그래도 행복해 보이더라.
행복하면 됐지.
근데… 최근에 뭔가 좀
이상해 보이는 건
없었고?
이상해?
없었는데….
잠깐,
뭐야?

리즈, 별로
듣고 싶지 않을 거야.
그렇지만….
리즈에게
사실대로 말했다.
아니, 내 정체를
모르는 걸 감안하고 최대한
말하려 노력은 했다.
얘길 듣고 난 반응은…
…놀랄 게 없어야 했는데,
아니었다.
거짓말.
나도 거짓말이면 좋겠지만… 사실이야. 상태가
훨씬 더 안 좋게 재발한 것 같아.
아니, 불가능해.
내 말 들어 봐.
내가 꾸준하게
경고 신호가 있는지 없는지
확인 안 했다고
생각하지?
꼭 계속
지켜봐야 해. 항상.
아이들을 지켜야
하니까.
그리고
지금 말하잖아.
누굴 가둬 둔 건진
몰라도, 그이는
아니라고.
엄마, 사실이
아니에요.

노미?!
아들,
얼른 자러 가.
두 분이 하는 얘기
다 들었어요.
노미,
뭘 들었는지 몰라도
연극 한 거야.
거짓말
안 하셔도 돼요.
왜 저만 보면 다들
거짓말해요?
저도 이제
애가 아니에요.
노미 말이
맞아.
노미 오스본은 아이다운 시절을
보내 본 적이 없다. 이 아이의 가문과…
…그 유산 때문에.
철이 빨리 들었어.
너무나 빨리.
아빠가 저한테도
거짓말했어요.
모두한테요.
노미,
무슨 말이니?
보여 드릴게요.
BEEP
BEEP

세상에,
안 돼.
사실이었다. 해리의 상태를 계속 의심했다면 곧바로 현실을 볼 수 있었을 것을.
하지만 여전히 말이 되지 않았다. 해리는 다시 고블린이 된 게 아니었으니까.
그런데 왜 고블린 장비를 준비해 놨을까?
피터, 난 어쩌면 좋지?
나, 나도 모르겠네. 일단 아이들하고 자리를 피하는 게 좋겠어. 어딘가…
KNOCK KNOCK KNOCK
…안전한 곳으로.

노먼?!
아버님이죠!
다 아버님이 꾸민 짓이죠?!
우리 그이한테 그런 짓을 한 게 다!!!
말했군.
당장 사라지세요, 지금 당장!
리즈가 말하고 싶지 않다고 하잖아요.
피터, 실은 난 널 만나러 온 거야.
잠깐 둘이서 얘기할 수 있을까

더 맞아야 되겠어, 오스본?! 어떻게 내가 여기 있는 걸 알았지?
보호용 감시 장비를 설치해 놨으니까.
보호용이라, 웃기시네.
나랑 내 주변 사람들한테 접근하지 말라고 똑똑히 말했을 텐데! 그 범주 안엔 리즈하고 애들도 포함이야. 당신이 이미 상처 입힌 사람들이라고.
나, 나도 알아, 피터. 부탁이니 나도 네 말을 존중하려고 최선을 다하고 있다는 걸 알아줘. 하지만 가만히 있을 수 없는 일이 생겼어.
네가 사랑하는 이들이 달린 문제야.

분명 말했지. 해리를 돕는 건 이제 그만두겠다고.
피터, 그 말이 진심이라면…
…왜 여기에 왔지?
난…
아무튼 그건 나중에 생각하고… 내가 말하러 온 건 해리 일이 아니야.
너도 알다시피, 난 윌슨 피스크 밑에서 일하고 있어.
그래. 아주 지독한 악몽 같은 콤비가 따로 없어.
바로 조금 전에 피스크가 해리의 상태를 보러 레이븐크로프트에 왔었어.

"그때 우연히
곧 무슨 습격을 할 거란
얘길 엿들었어."
"오늘 저녁에
어떤 범죄 조직을 시켜서
지체 없이 진행한다고 하더군."
습격?
어디를?
바로 여기야.
시내에 있는
F.E.A.S.T. 센터라는
보호소.
메이 파커가
운영하는 곳
아니야?
이런…
메이 숙모!!!
리즈!!!
리즈, 나 어디 좀—
최대한 빨리
갔다 올게!

THOOM!
무, 무슨 소리지?
존재가 느껴져요.
그게 왔어요.
"제가 지은 죄가 이 벽 밖에 있다고요."
"이 건물 밖을 돌면서 필사적으로 절 찾고 있어요. 그렇지만 사악한 것들이 그렇듯이…"
F.E.A.S.T PROJEC
신성한 장소라 들어올 수 없나 봐요.
그게 다 뭔지는 모르겠지만, 여기 들어올 수 없는 거라면 계속 이 안에 있도록 하세요.
잘못 알아들으셨군요, 메이. 네거티브는 들어오지 못해도…
"…그 하수인들은 들어올 수 있죠."

여기 오지
말았어야 했어.
메이, 당장
숨으세요.
그럴 순 없겠군요.
이제야 여길 다시
일으켜 세웠는걸요.
"일개 범죄자들한테
아무런 저항도 없이
여길 뺏길 순 없어요."
KSH
TASH
PNCH
KRASH
PASH
KRAM
물러서세요,
메이. 싸움이라면
제가…
…할게요?

메이 파커,
괜찮아요?
잠깐, 당신은
마틴 리?
흠, 왜
이 녀석들이 왔는지
설명이 되네.
여기
있으세요.
아까
말했듯이…
SLICH
SLSH
…다 연관된 사건이야.
PRAM

당연히 거의 불사에 가까운 범죄자 집단에 맞서 싸우는 게 악몽 중의 악몽이란 생각이 들겠지만…
SNUTCH
…정반대라는 게 깜짝 놀랄 일이지.
SLUTCH
너희가 얼마나 튼튼한 놈들인지 까먹을 뻔했네.
평소 같으면 아주 곤란했을 텐데, 지금은 말이지? 내가 아주 뭐 같은 일주일을 보냈거든?! 이놈들아…
…아주 잘 걸렸다!!!
자, 자…

…다들 뭔가
필요한 때가 있잖아?
그날을 기억하나,
'킨드레드'?
난 기억해.
자주 떠올리지.
"가이드들이 날 파리
카타콤 깊숙한 곳으로
이끌었어."
"위험하다며 경고했지만,
그럼에도 돈을 잔뜩 쥐여 주니
계속 안내하더군."
"그리고
그 대가를 치렀고."
"난 마음이 무너졌고,
망명 중이었어. 그대로
무릎을 꿇고 네게 빌었지."
"그랬더니 네 놈은
날 보고 웃었어. 크게
웃으며 말하길…"
싫어.

'싫어'라고….
잠시?
제안은 들어 보겠지만 그렇다고 해서 내 인내심을 시험하진 말라고 했을 텐데.
내 도시에 혼돈을 끌어와 놓고 못 본 척해 달라니.
미스터 네거티브가 대가로 뭘 요구했는지 말해.
네 진심 어린 소원을 모두 들어줄 유일한 대답을 말씀하셨다, 윌슨 피스크.
조심해라, 데몬…
…여기 걸어 들어와서 당당한 약속을 한 놈 중에 제명을 다 산 놈은 하나도 없으니까.
뭘 근거로 그렇게 확신에 차 있지?
왜냐면 주인님께서는 네가 진심으로 바라는 걸 아시기 때문이지, 킹핀. 그리고 그걸 이루려면…
…생명과 운명의 석판만으론 부족하다는 것을….

네거티브 스페이스 2부

둘로 나누어진 남자 이야기는 모두가 알고 있죠.
한쪽은 두뇌파 범죄자인 미스터 네거티브, 다른 한쪽은 착하고 너그러우며 지역 사회에 헌신하는 마틴 리.
"하지만 전 마틴 리가 아니에요."
"전 밀수업자이자 인신매매범이었습니다. 악랄한 놈이었죠. 진짜 마틴 리는 탐욕과 이기심 때문에 살해당했어요."
"마틴 리는 죽었어요. 전 그 이름을 훔친 거고요."
"선한 마틴 리는 제가 꾸민 위장에 불과했습니다."
"그럼 지금의 전 누굴까요?"
F.E.A.S.T. PROJECT
"네거티브의 영이 건물 밖을 떠돌고 있지만…"
…그 영이 저보다 훨씬 더 '진짜'에 가까우니 말입니다.

"지은 죄가 없는 전 도대체 누구일까요? 그 죄가 제 인생 전체나 다름없는데."
리즈? 리즈, 부탁한다….
사람들이… 특히 네가 날 보고 싶지 않아 하는 건 잘 안다.
넌 우리 가족을 위해 날 받아 주고, 기회를 줬어.
그리고 난 그 믿음을 무엇보다 나쁜 방법으로 져 버렸다. 입에 담을 수도 없는 짓을… 내…
…손자에게 저질렀어.
하지만 난 자격도 없는 용서나 빌러 온 게 아니란다.
지금까지 해리의 상태를 지켜본 게 바로 나라는 걸 말하러 온 거야.
너희 두 사람도 해리를 보고 싶어 할 거라 생각했다.
그렇지만 미리 경고하는데…

"…첫눈에 알아보긴 힘들 거다."
흠, 당신이 누구든 간에…
…일단 여길 빠져나가죠.
왜 건물 밑에 이런 비밀 통로를 둔 건지 늘 궁금했어요, 마틴.
이제 그 답을 알겠군요.
CRASH
그게 바로 우리 모두가 원하는 거 아니겠어?
답 말이야.
우리 질문에 대한 답. 그리고 가끔은…
FWUMP
…기도에 대한 답을 원하기도 하지.

내겐 질문이 있어.
내 제일 친한 친구에게 무슨 일이 일어난 건지 알고 싶어.
왜 나한테 이런 짓을 하는 건지 알고 싶어.
자기가 사랑하는 사람들에게 왜?
기도라면, 글쎄…
…기도가 제대로 먹힌 적이 없어서 말이지.

근데 분명히
두 무릎이 바닥에
닿은 게 느껴져.
내 앞에 있는 걸
마주할 수 없게 된 게
느껴진다고.
빌기.
애원하기.
소리 지르기.
울부짖기.

아무리 그렇게
악을 써도…
…끝은 절대
찾아오지 않아.
그저 제자리에
가만히 서 있을 뿐.
날
기다리면서.
끝을 내야 해.
해리, 부탁이야.

이 모든 게
끝났으면…
멈춰라!
이 여자를
죽이기 전에!
당장
놔줘!
이제 끝났어,
파커.
비애와 자기 연민에
빠져 있는 동안…
…늘 그랬듯
다른 누군가가
대가를 치르지.
거기까지다!

당장
풀어 드려.
저항 없이
따라가겠다.
마틴,
안 돼요.
괜찮습니다,
메이.
다른 방법이
없어요.
여기 온 게
바보 같은 짓일진
몰라도 잘못된 일이라고
생각하진 않아요.
지금까지 제 마음
한 모퉁이에 갇혀
기나긴 시간을
보냈거든요.
그 작은 옷장 같은 곳 안을
천국이라 생각하면서요.
당신을
여기서 다시 만나고
센터가 재건된 걸 보니
너무나도 행복했어요.
저 때문에
이곳이 다시 무너지게
둘 순 없습니다.
이번만은
선한 이가 될 수 있게
해 주세요.
보여
드릴게요…
…사람은
죄로만 판단하는 게
아니란 걸.

아….

내 집에 돌아오니
정말 좋군.
너무나도 잘했다, 제군들. 여길 잿더미로
불살라 버리고 저 할멈을 죽이는 것도
아주 구미가 당기지만…
오늘 밤은 너그럽게
갈 길을 가 주는 편도
좋을 것 같아.
내 생각은 다른데,
네거티브!
무슨 짓을
하더라도…
반드시
체포해 주마.
그럴
필요 없어,
벽타개.

여기서부터는
뉴욕시가 맡도록
하겠다.
피스크, 뭐 하는
짓거리지?
이 구역에서
심각한 난동이
일어났다는 보고를
받았다.
미친 범죄자가
있다고.
어디로
데려가는 거야?
당연히 구치소지.
아까 너도 그랬잖아?
반드시 체포하겠다고
말이야.
일부러 곤란한 일에
뛰어들 필요 없어, 스파이더맨.
보다시피 이미 경찰이
도착했으니까.
뭔가
꾸미고 있군,
킹핀.
말도 안 되는 소리.
그저 효율적인 선택을
했을 뿐이야. 행정 기관으로서
직접 명령을 내릴 수
있다는 건 참 좋은
일이거든.

그러니까
이 센터를 한번
보라고!
이런 시설이 운영에
얼마나 많은 허가를
받아야 할지 상상이
안 된단 말이야.
예고도 없이
수시로 끝도 모르게
많은 담당 공무원이
드나들겠지.

그래, 이렇게나
좋은 일을 하는데
영원히 폐쇄될 수도 있다니,
정말 무서운 일이 아닐 수 없어.
그것도 어느 공무원이 서류
한 장에 작은 실수를 해서
그렇게 된다면.
그런 일은
정말 수도 없이 많이
일어나잖아.

아니면 그런 것보다
더 긍정적인 일을 생각해
볼 수도 있지.
예를 들면,
악명 높은 미스터 네거티브가
피스크 시장과 스파이더맨
덕분에 체포됐다는
얘기 말이야!
그래, 마음에
드는군.

내가 원하는 걸
갖고 있는 게
좋을 거다, 리.
그래서 그냥 정의가
집행되는 걸 지켜봤다.
또 나쁜 놈이 이기는 걸
보고 있어야 하니
어이가 없어.
메이 숙모께
사과드리고 바쁜 일이
있단 말과 함께
자리를 떴다.
NYPD
아니, 나보단
피터 파커가 바쁘겠지.
그 바쁜 일은…

…내가 돌아오자마자
시작되고.
메이 숙모!
최대한
빨리 온다고
왔는데—
난
괜찮다, 피터.
근데 너…
…피가 나잖니.
아, 이거요…
오다가 쓰레기 밟고
자빠졌거든요.
저런…
…쓰레기가
참 많지?
수리엔
몇 주가 걸리겠어.
어쩌면 할인을 받을 수도
있겠구나…
"…또 수리받게 됐으니."

솔직히… 이런 폭력과 파괴가 요즘 세상이 흘러가는 방향이라 생각하려고 노력 중이란다.
근데 가끔은 이런 일이 나한테만 너무 많이 일어나는 게 아닌가 싶기도 해. 내가 이런 걸 끌어들이는 건 아닐지 의문이 들기도 하고.
나한테 모든 책임이 있는 게 아닐까 하고.
분명히 말하는데 숙모 탓이 아니에요.
숙모는 진심을 다해 욕심 없이 선행을 하고 계시잖아요. 언제나 그랬듯이요. 정말 용감한 일이죠.
그래도 다음에 또 마틴 리 같은 사람이 찾아오면 그땐 경찰을 부르겠다고 약속해 주세요.
사람 안 가리고 다 구하고 싶어 하시는 건 알지만, 그렇게 아무나 믿으면 안 돼요.
아, 피터, 날 잘 알면서 왜 그러니?
그렇게 사람을 믿어야 하는 거야. 너도 그래야 하고.
사람들이 더 나은 존재가 될 수 있다는 희망이 없으면…

"…세상에 무슨 희망이 남아 있겠니?"
…노미?
온 사방을 다 뒤졌어. 엄마가 걱정하니까…
가까이 오지 마세요! 오지 말라고요!
저리 가요.
알았다. 여, 여기 앉는 건 괜찮니?
그냥 안 가겠다면 어쩔 수 없죠.
다들… 자기가 바라는 것만 하기 바빠요.
맨날 거짓말만 하고, 자기가 누구라고 말해도 진짜인 적이 없어.
흠.

가끔은 할아버지도 생각할 게 있으면 여기 올라오곤 한단다.
공기도 맑고, 조용하지. 무언가를 기억해 내기에 좋지. 요즘 들어 그게… 참 어려웠거든. 그런데 말이다…
…어쩌면 이걸 네가 보고 싶어 할지도 모르겠구나. 자….
이게 뭔데요?
할아버지랑 네 아빠다. 네 나이 무렵에 찍은 사진이야.
아빠 어릴 때 어땠어요?
너랑 정말 비슷했어.
노미, 이제 너도 점점 머리가 커지니 아무리 어른들이 숨겨도 네 눈에 다 보일 게다. 주변에 있는 어른들이 어떤 사람인지, 무슨 결점이 있는지, 모든 게 말이야.
그리고 특히 우리 집안을 보면 정말 실망스러울 거란 걸 잘 안다. 그리고 정말 자주… 무섭기도 하겠지.
하지만 이것만은 알아줬으면 하는구나. 네 아빠, 엄마 그리고 이 할아버지조차도 모두 더 나은 사람이 되려고 부단히 노력하고 있고 그건 다…
…널 위해서라는 걸.

이거 어디서
찍은 거예요?
코니 아일랜드에서.
네 아빠가 거길 참 좋아했어.
아빠가 데려간 적 없니?
없어요.
근데… 멋있어
보이네요.
할아버지랑
같이 들어가면, 엄마한테
허락받고 나서…
…언제 한번
데리고 가 주마.

난 뱉은 말은 지키면서 살았다, 리.
이제 네가 명예를 지킬 차례야.
물론이지. 미스터 네거티브는 절대 거짓말하지 않아. 이거 정말 매력적인 물건이야.
레무리아인들은 태고의 마법으로 하나가 아니라 두 개의 석판을 만들었어.
첫 번째는 삶과 운명의 석판이야. 소유자에게 위대한 힘과 지식을 주지. 근데 두 번째는…
…죽음과 엔트로피의 석판이야. 빛에 대응하는 어둠이자 완벽히 같은 석판이지.
수천 년 동안 왕과 정복자들이 두 석판을 찾아다녔고, 석판은 누군가의 소원을 들어주곤 했어.
하지만 가장 현명한 자들은 두 석판이 함께 있어야 진정한 힘을 낸다는 걸 깨달았지.
두 석판을 모두 가진 자가 받는 축복은 바로 모든 인간이 꿈꾸는…
…부활의 힘이야.
한계가 있다는 건 알지? 딱 한 번만 쓸 수 있어.
잘 알고 있다.
내가 건 나머지 조건에도 동의하고…?

내 소유였던 구역을 다시 돌려받는다. 차이나타운하고 로어 이스트사이드—
그야 물론 가능하지. 근데 왜 그것뿐이냐?
…?
기회를 주지. 따라와.
너도 알다시피 이 석판을 모으는 건 아주 짜증 나는 일이 돼 버렸어.
"부메랑과 스파이더맨이 끼어든 덕에."
네가 가져온 선물 때문에 내 계획은 더 앞당겨졌고, 다른 방법을 쓸 가능성은 사라졌다.
이 기회를 놓치지 않을 생각이지만, 다른 방법으로 접근해야 할 필요성이 있다는 것도 깨달았어.
지금까진 막대한 시장의 권력으로 그 두 놈을 굴복시킬 방법을 찾았지만, 현실적으로 보면 상황을 좀 더 유리하게 바꾸기 위해 필요한 건 바로…
'타락한 손길'이지.
바로 그거야.
그래서 라이프라인 석판 훔쳐 와 달라 그 말인가?
맞아.
그러면 아주 후한 보상으로 맞이해 주겠어.
하지만 미리 경고하는데…

…경쟁을 좀
해야 할 거야.

출구 없음

놈은
끝났다.
감금돼서 다른 누구에게도
손을 뻗을 수 없지만…
…여기만은
예외다.
매일 밤
같은 꿈을 꾸고…
매일 밤…
같은 질문을
듣는다.
그녀가 묻는다.
"아직 안 끝난 거지?"
나는 답한다.
"응. 아직
안 끝났어."

으아아아악!

아, 잘됐다.
일어났네.

식품점이랑
노점상에서 만들어 온
아침 식사가 식으면
어쩌나 걱정하던
참이었거든.

소리 질러서 미안.
그냥… 아무래도 그냥
떨쳐 낼 수가—
어허.

우울한 내레이션 할
시간 없어, 타이거.
너랑 나랑
어디 좀 같이
가자.

어디
가는 건데?
음, 아니.
왜?
거의 다 왔어.
근데 칼리 소식
들은 거 있어?
음성 메일을 남겼는데
다 깨져서 못 알아듣겠더라고.
근데 뭔가 당황한 것 같았어.
그러더니 나한테 뉴욕을 떠날 거라고
문자를 보낸 거 있지—
여기야.

여기?
기억 못 해도
상처 안 받은 척하느라
노력 중이네요.
어어, 잠깐만…
어딘지 알아. 노먼
오스본이 다시 지은
극장이잖아.
오랜만에
정답이네.

"근데 그것보다…
내가 처음 유명해진 곳이
바로 이 극장이거든."
"물론 지금은
우리처럼…"

낡고 맛이
조금 갔지만.
그러네.
뉴욕에 있는 동안
연습 공간이
필요하다고 하고
건물주한테 열쇠 뭉치를
받았어.

연습하려고 온 거야? MJ,
나도 대본 리딩 좋아하는 거 알지?
근데… 우리 집에 돌아가서
하면 안 될까?
안 될 것 같네.
오늘 연습할 장면은
특수 효과가 약간
필요해서.

그리고 나 말고
네가 나오는 부분이야.
이건…
CHNK

네 공연
이라고.

이게 뭔지…
잘 모르겠는데.

해리한테 일어난 일을 떨칠 수 없는 건 해결책을 찾은 것 같지 않아서 그런 거야. 완전히 이해가 가는 부분이지. 그러니까 여기서 해결책을 구해 보자.
네 무의식에 해리한테 뭔가 말하고 싶은 게 있을 거야. 상당히 많을걸. 그걸 지금 여기서 말해 봐.

메리 제인, 좋은 생각이긴 한데… 이 극장만큼 소름 돋아. 해리도 여기 없는걸.
그래, 그래서 연기를 하라는 거야.
해리가 있는 것처럼 굴어 보라고?
해리가 정말로 있다고 진심으로 믿어 봐.

MJ, 배려는 정말 고마워. 진심이야. 근데 별로 효과가 없을 것 같아.
나한텐 있었어.
그게 무슨 말이야?

"그웬이 죽었을 때,
상담사를 찾아갔었어."
"상담이 별 효과가 없을 때,
이 방법을 추천해 주더라."

가장 친한 친구에게
작별할 기회도 없었잖아.
가슴 속에 응어리진 게
정말 많았었어.
그걸 토해 낼
기회였던 거지.

네 전문 분야가
아니란 건 잘 알아.
나 연설 같은 거
진짜 못해. 믿거나 말거나
무대 공포증 엄청
심하단 말이야.
걱정하지 마.
관객은…

…나 하나
뿐이니까.
그냥 해 봐. 응? 그때
공동묘지 상황 기억나지?
그때 넌… 최악의 상황을
가정했어. 난…

…날 믿으라고
했고.
나 정말로
믿었어.
그래야지.
그럼 이제…

…눈을
감아 봐.

처음엔 아무 일도 일어나지 않아.
MJ가 호흡 얘기를 하네.
호흡에 집중하라고…
들이마시고, 뱉고….

그다음은 분위기.
이 공간에 있는
내 존재 자체를 이해하고…
MJ가 말을 이어가면 갈수록…

…무언가
서서히 일어난다.

그동안 느꼈던
스트레스와 답답함이
터진 걸지도 몰라.

아니면 너무 혹사해서
깨어 있는 상태인데도
악몽을 꾸는 걸지도 모르고.

하지만 확실히
내게 왔다는 게 느껴져.

이제
눈을 뜨면…
…그놈이 바로 앞에서
기다리고 있다.
뭔가
할 말이라도
있나?
…해리?
해리.
난…

어디서부터 시작해야 할지…
…어떻게 해야 할지 모르겠어.
일단 해 봐.

지금까지 일어난 일을 계속 생각해 봤어.
네가 했던 말 전부 다. 이해해 보려고 그랬던 거겠지.
그때는 정말 제대로 들을 수 없었거든. 내가 아끼는 사람들 목숨이… 위험에 처했었으니까. 그것도 바로 너 때문에.

그리고 나도… 화가 잔뜩 났었고.
지금도 안 풀렸어.
항상 화나 있지.

해리, 왜 그냥 말로 설명하지 않고 그런 건지 납득이 안 돼. 내가 모르는 부분이 너무 많아.
왜 이렇게 나올 수밖에 없었는지도 모르겠어. 내가 아는 거라곤 늘 그랬듯이 하나뿐이야.
네가 날 원망한다는 거.

처음 있는 일도 아니지.
너랑 네 아버지 공통점이 날 너희 집안 모든 불행의 원인으로 본다는 거니까. 뭐가 잘못되든 항상 날 범인으로 몰았어.
솔직히 말해서 그 모습에 넌덜머리가 난 지도 몇 년은 됐다고. 근데 이번엔…

…이번 일엔 뭔지 몰라도 내가 떨쳐 낼 수 없는 게 있어.
정말 내가 잘못했다는 기분이 든단 말이야.

진짜로 내 책임이라는 생각이.

네가 나한테 보여 주려고 했던 거 말이야. 내가 모든 걸 더 나아지게 하려고 애쓸수록 망치기만 한다는 거…
…나도 이미 다 알아, 해리.

난 어린애일 때부터 코스튬을 입고 히어로 짓을 해 왔어. 날 길러 주신 분을 앗아 간 그 이기적인 선택을 속죄하기 위해서.
내가 의도한 짓도 아니었고, 그런 일이 일어날 줄도 몰랐어.
하지만 그 사고가 나중에 뒤따라 일어난 일들하고 어떻게 다른데?

난 내가 선한 일을 하려고 애쓰는 걸 알아. 사람들을 구하려는 것도 알아. 그리고 그렇게 해 왔어. 선한 일을 하면서, 스파이더맨으로서 생명을 구해 왔다고.
그런데 내가 사랑하는 사람들이 계속 그 대가를 치러야 한다면… 그게 맨 처음에 했던 이기적인 선택하고 뭐가 다를까? 뭔가를 바로잡으려는 내 노력이 그저 모든 걸 더 악화시키는 건가?

마스크를 뒤집어쓰고 더 나은 누군가가, 자기 삼촌이 살해당하게 두지 않는 누군가가 될 수 있던 옛날 그 시절의 꼬맹이가 이 모든 일의 원흉일까?
어쩌면 사람은 변하지 않는 걸지도 몰라. 난 그냥 죄책감을 피해 달아나면서 모두를 같이 끌고 가는 걸지도 모르지.

가끔은 내가 모든 일에 대한 대가로 영원히 앞으로 나아갈 수 없는 단죄의 쳇바퀴에 갇힌 것 같다는 기분이 들곤 해.
내 인생이 계속 이렇게 이어질 것 같은 기분 말이야.
해리, 나한테 지옥을 보여 주겠다고 했지?

지금 내가 사는 곳이 바로 지옥이야.

나를 봐.
결혼도 못 하고,
애도 없고, 빚 없이 살려고
아등바등하고 있어.
코스튬이
내 삶을 점점 더 깊이
갉아먹고 있다고.

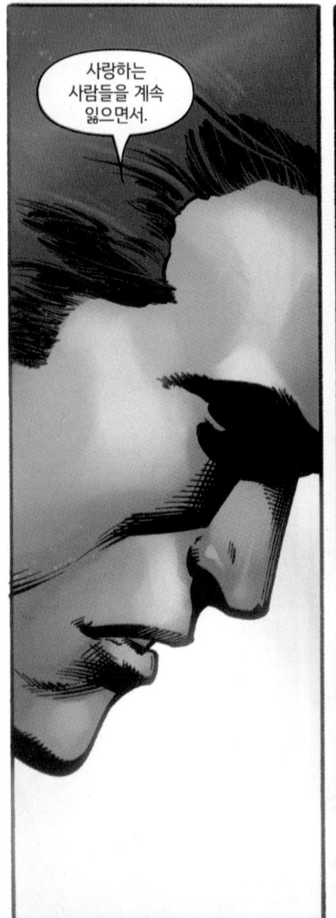
사랑하는
사람들을 계속
잃으면서.

어벤저스 활동을 하거나
파커 인더스트리를 경영할
때처럼 간혹 일상과 다른 일이
일어날 때도 이런
생각을 하겠지.
어떤 일을
하더라도 언제나
같은 장소로 다시
돌아오는 것만
같아.

그리고 정말
끔찍한 점은…
…내가 맞서 싸우는
이 사악한 것들이
전보다 더 강해져서 계속
되돌아온다는 거야.

이 반복을 깨야 해.
이 끝나지 않는 쳇바퀴를
계속 돌 순 없어.
그래서
레이븐크로프트에서
널 봤을 때… 노먼을
그렇게 두들겨
팼을 때…

…너희
둘과는 끝이라고
말한 거야.

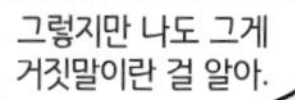

그렇지만 나도 그게
거짓말이란 걸 알아.
넌 내 제일 친한
친구니까, 해리. 네가 계속
날 죽이려 드는데도 나한테 뭐가
보였는지 알아? 함께했던 순간이,
옛날 그 시절이 보였어.
네가 나한테
그런 짓을 하다니, 이보다
쓰라린 일은 없다고.

난 계속 옛 시절로 돌아가려고
노력하고 있어. 그럴 수 있다면,
이 관계를 바로잡을 수 있으면
뭐라도 내줄 거야.
그런데 그런 생각을
할 때면, 다른 선택을 할 수
있었다는 생각을 할 때면
눈앞에 있는 모든 게 더 안 좋은
방향으로 뒤틀리기만 해.

나도
그만하고 싶어.

어떻게 해야 하는지
그냥 말해 줘, 해리. 뭘 해야
하는지 알려 줘.
뭐든지 자백할 테니까…
뭐든지 할 테니까…

…뭘 해야 하는지
그냥 말해 달라고.

그냥
말하라고!

도움이
된 것 같아?

으, 응. 뭐라 설명할지
모르겠지만….
뭔가
묵은 게 사라진
느낌이 들겠지.
맞아.
최소한…
…지금
당장은.

내 말 잘 들어, 피터.
넌 트라우마에 시달려 왔어.
하나도 아니고 여러 개에. 그런 건
하룻밤 잔다고 사라지는 게
아니야.
그렇지만 이걸로
조금이나마 네 마음에 빛을
들일 수 있다면, 여기서부터
천천히 나아가 보자.
어떻게든 해 보자고.

정말 보고
싶을 거야, MJ.
아니,
아닐걸.
뭐라고?
왜냐면
난 아무 데도
안 갈 거거든,
타이거.

잠깐, 무슨 소리야?
L.A.로 돌아가서 영화
계속 찍어야지—
촬영은 다 끝났어.
스튜디오에는 뉴욕에
있겠다고 했고. 나머지 작업 중에
내가 있어야 하는 일은 여기서
할 수 있는 일만 남았어.
개봉은 미루면 돼.
MJ, 그러면
안 돼—

안 돼?
내가 한 결정이야.
난 여기에, 너랑 있고 싶어.
우리 함께 이겨 내자.
넌 정말
놀라운 사람이야,
알고 있어?
아, 수업
시간인데!
벌써
늦었어.
너 옷 갈아
입어야 할걸.

갈아입어야지.
THWIP
어두운 극장 안을 벗어나…
…밝은 밖으로 나왔다.
날 무너뜨린 이 모든 일… 이런 게 일어날 수 있었다는 걸 전혀 몰랐어.
아직 끝이 아니란 건 알아. 이제 더 힘들어질 거란 것도 알아.
하지만 아무리 많이 고통받아도, 아무리 감정의 무게에 짓눌려도, 한 가지 변치 않는 사실이 있어.
내겐 MJ가 있다는 것.
사랑하는 이만 있다면 인간은 그 어떤 시련이라도 이겨 낼 수 있는 게 아닐까?
내가 쓰러졌을 때 일으켜 세워 주고, 어깨를 빌려주는 사람…

내가 믿을 수
있는 사람.

일찍 왔네.

어디서부터
듣고 있었어?
네가
지킬 수 없는
약속을 한다는 걸
알 만큼 많이
들었지!
아, 진짜.
왜 영화 개봉을
뉴욕에서 해?
영화 배경이 뉴욕인데.

그리고 승리의 순간은
익숙한 곳에서 즐기는 편이
좋지 않아? 거기다 약 올리는
초대장 보낼 사람도 몇 명
있는 거 안단 말이야.
그게 중요한 게
아니야. 창의적인
파트너십을 유지하는 게
중요하지!
그러고 있거든?
그냥 이번에도 주연 배우로서
앞장서려던 것뿐이야…

…미스테리오.
흠. 네가 성대한 복귀 행사를 누구랑 준비하고 있는지 알게 되면 네 남자 친구가 그 큰 행사를 어떻게 생각할까?
조, 조만간 말할 거야. 타이거는 지금 마음속이 복잡하다고. 특히 그…
…킨드레드 때문에. 당신도 뭔가 알고 있겠지, 쿠엔틴. 해리 오스본이 왜 그렇게 됐고, 뭘 원하는지 말이야.
메리 제인, 제발 이렇게 부탁할 테니까… 어떤 일은 모르는 채로 두는 게 더 나아. 좋은 의도인 건 알지만 이런 말도 있잖아….

"의도와 결과가
같지만은 않다고."
FWASH
네 주인 좀
봐야겠다.
손님
안 받아.
당장
저리 비키지—
손님…
…안 받는다고.
VZHH-
WHAM

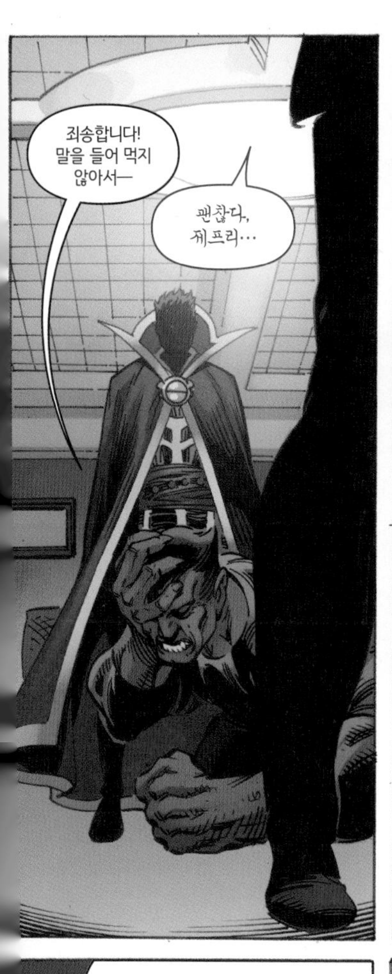

죄송합니다!
말을 들어 먹지 않아서—
괜찮다,
제프리…

스트레인지 나리라면 언제든 시간 낼 수 있으니까.
근데 스트레인지, 미리 약속을 잡으면 죽기라도 하나?

사업하는 사람 생각도 해 줘야지.
그래, 그 사업 때문에 왔다.

여기 주인이 바뀌든가 잿더미가 된 줄 알았는데. 근래에 네가 예전 자리를 되찾은 걸 생각하면 말이지.
잘나가는 사업을 왜 접어? 여기 수익률을 한번 봐야 할 텐데. 다각화 유지는 나쁜 게 아니라고, 스티븐.

그리고 난 여기가 좋아. 사람들이 섬뜩하거든.
너랑 놀러 온 게 아니니까 그쯤 하지. 강력한 악령이 제멋대로 돌아다니면서 내 소중한 친구를 괴롭히고 있다. 킨드레드라는 놈이야.
처음 듣는데. 아는 놈이라고 해도, 예전 직원들이 주소를 안 남겨서 연락 못 해. 도움 못 줘서 미안하게 됐어.

아, 놈을 추적할 방법은 이미 찾았어. 그것 때문에 온 게 아니야. 내가 찾은 것 때문에 신경이 쓰여서 네 대답을 들으러 온 거지.
대답해라, 악마…

…피터 파커의 영혼에
무슨 문제가 생긴 거지?
계속됩니다!

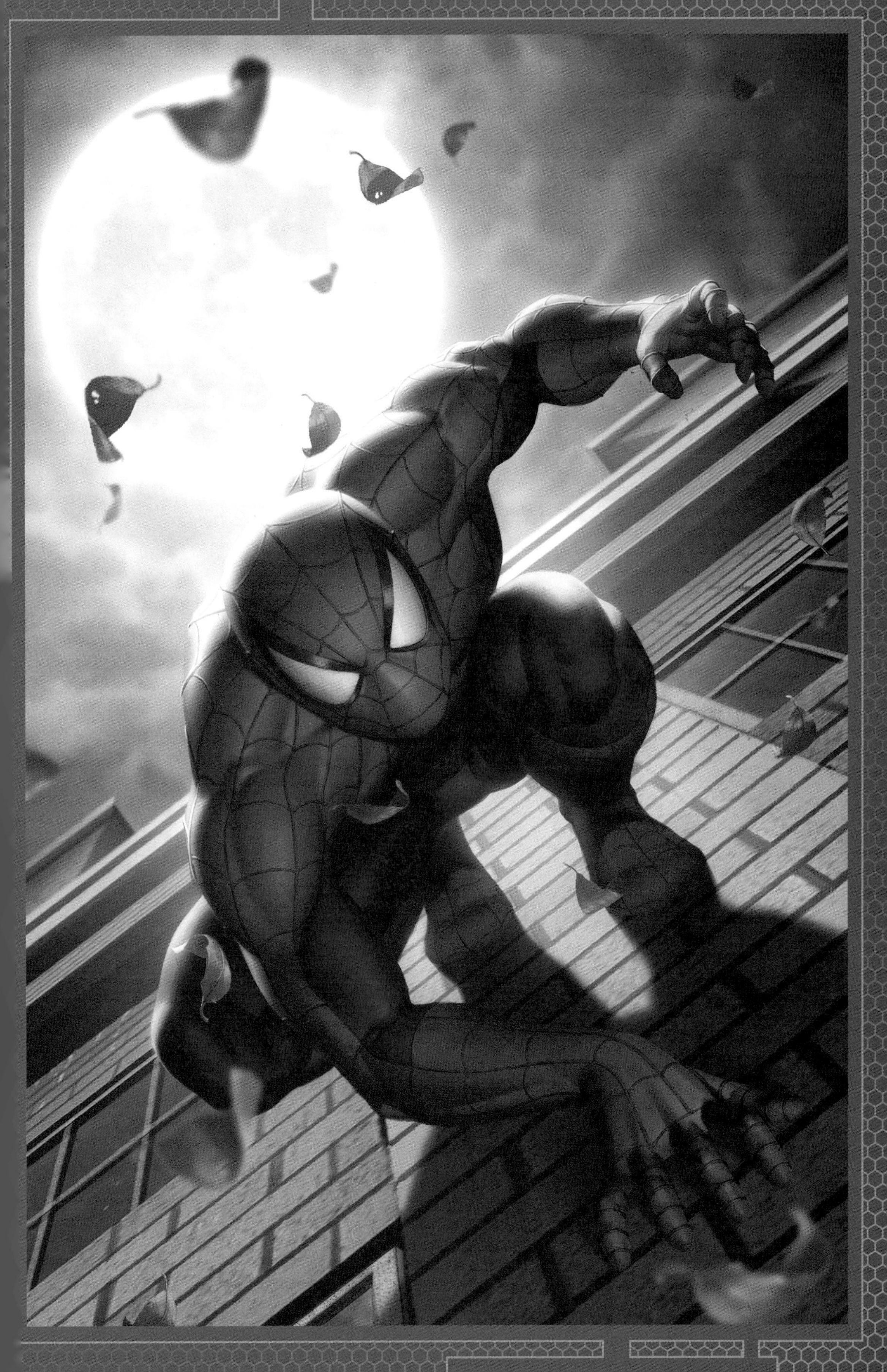

#58 VARIANT BY JUNGGEUN YOON

#57 VARIANT BY
MARCO MASTRAZZO

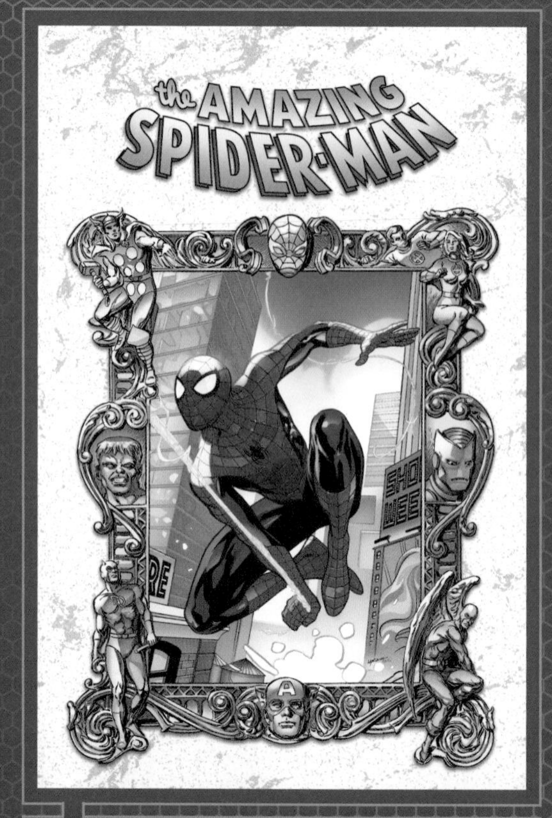

#59 MARVEL MASTERWORKS VARIANT BY
EMA LUPACCHINO & DAVID CURIEL

#59 VARIANT BY
MARCO FERREIRA & MORRY HOLLOWELL

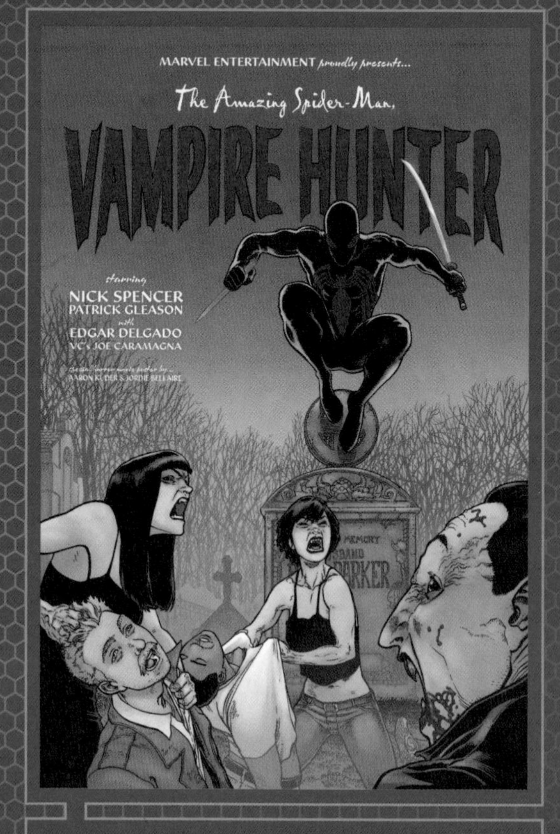

#50 HORROR VARIANT BY AARON KUDER &
JORDIE BELLAIRE WITH ANTHONY GAMBINO